国家科学技术学术著作出版基金资助出版

基于深度学习的智能矿产资源潜力评价原理与实践

左仁广　熊义辉　王子烨 等　著

科学出版社

北 京

内 容 简 介

本书紧扣人工智能和深地资源探测国际学术前沿，主要介绍矿产资源潜力智能评价的概念和深度学习算法基本原理，重点介绍基于深度学习开展矿产资源潜力评价的具体实施步骤，包括软件环境配置、数据预处理、样本制作、模型构建及参数调节与优化等。本书可为解决深度学习用于矿产资源潜力评价中面临的训练样本少、模型构建难、可解释性差等难题提供方案。同时，本书可使读者在基于深度学习的矿产资源潜力智能评价方面快速入门，并能根据书中提供的实例，结合自己的数据开展矿产资源潜力智能评价。

本书既可作为矿产勘查科学研究及一线地质工作者的参考用书，也可作为深度学习及其应用与实践相关专业学生的教材。

图书在版编目（CIP）数据

基于深度学习的智能矿产资源潜力评价原理与实践/左仁广等著. —北京：科学出版社，2023.2
国家科学技术学术著作出版基金资助出版
ISBN 978-7-03-074529-3

Ⅰ.① 基… Ⅱ.① 左… Ⅲ.① 矿产资源-资源潜力-资源评价 Ⅳ.① F426.1

中国国家版本馆 CIP 数据核字（2023）第 004032 号

责任编辑：杨光华 徐雁秋/责任校对：高 嵘
责任印制：彭 超/封面设计：苏 波

科 学 出 版 社 出版
北京东黄城根北街 16 号
邮政编码：100717
http://www.sciencep.com
武汉精一佳印刷有限公司印刷
科学出版社发行 各地新华书店经销
*
开本：787×1092 1/16
2023 年 2 月第 一 版 印张：14 1/4
2023 年 2 月第一次印刷 字数：338 000
定价：179.00 元
（如有印装质量问题，我社负责调换）

左仁广，1981 年生于湖北孝昌，教授、博士生导师。曾于 2013 年入选教育部新世纪优秀人才支持计划，2015 年获国家优秀青年科学基金项目资助，2016 年获选国际应用地球化学家学会会士，2017 年获选国际经济地质学家学会会士，2018 年获聘教育部青年长江学者，2019 年获评湖北省有突出贡献中青年专家，2021 年获选伦敦地质学会会士。现（曾）任国际数学地球科学学会理事、国际应用地球化学家学会理事，国际科学引文索引（SCI）收录期刊 *Computers & Geosciences*、*Natural Resources Research*、*Ore Geology Reviews*、*Journal of Geochemical Exploration* 和 *Geochemistry: Exploration，Environment，Analysis* 的副主编，以及 *Journal of Earth Science*、《地球科学》《地质科技通报》和《矿床地质》等期刊的编委会成员。

长期从事数学地球科学与矿产勘查研究。主持国家自然科学基金优秀青年科学基金、湖北省杰出青年科学基金等 10 余项项目；主编 SCI 专辑 5 期；发表 SCI 论文 100 余篇，其中 9 篇论文曾入选基本科学指标数据库（ESI）高被引论文，论文被 SCI 引用 4400 余次；入选美国斯坦福大学发布的全球前 2%科学家榜单和爱思唯尔 2020 年和 2021 年中国高被引学者；获 3 项国家发明专利和 4 项软件著作权。研究成果曾获全国百篇优秀博士论文提名奖（2011 年）、国土资源科学技术奖一等奖（2011 年）、国家科学技术进步奖二等奖（2013 年）、中国产学研合作创新成果奖一等奖（2019 年）等。此外，还曾获中国高校 GIS 创新人物奖、中国地质学会青年地质科技奖金锤奖、侯德封矿物岩石地球化学青年科学家奖及国际地球化学学会 Kharaka 奖等荣誉。

我国目前正处于工业化中后期，对战略性矿产资源的刚性需求仍然巨大。随着露头矿和浅表矿越找越少，找矿对象逐渐转向深部矿。深部找矿潜力巨大但技术难度极高，且深部找矿数据具有信息量大、计算复杂度和不确定性高等特点，亟须创新深部找矿理论，变革传统矿产资源潜力评价数据处理方式。人类已经迈入大数据时代，大数据正在深刻改变地球科学的研究范式，拓展地球科学的认知空间，提升人类获取地球科学新知识的能力。近年来，大数据和深度学习在矿产勘查领域日益受到重视，使矿产资源潜力评价进入智能化时代成为可能。

为此，在国家自然科学基金等项目的资助下，围绕大数据驱动的矿产资源潜力评价的基础理论与关键技术，作者团队开展了多学科交叉研究，通过十余年持续攻关，在矿产资源潜力智能评价领域取得了一定的进展。本书总结作者团队在矿产资源潜力智能评价领域的阶段性成果，重点介绍深度学习算法的基本原理，以及基于这些算法开展矿产资源潜力评价的具体实施细节，并介绍基于地质约束的深度学习模型构建的案例和基于计算机集群的深度学习模型的探索。此外，本书展望矿产资源潜力智能评价未来的研究方向，包括数据与知识双重驱动的大数据矿产资源潜力评价、矿产资源潜力评价知识图谱构建和基于深度学习矿产资源潜力评价模型搭建等。

本书紧扣人工智能和深地资源探测国际学术前沿，重点剖析如何基于深度学习开展多源找矿信息提取与集成融合。区别于其他矿产资源潜力评价专著，本书主要采用深度学习算法开展矿产资源潜力智能评价，各章节相对独立又前后关联，在介绍深度学习原理的同时，结合实际案例，对深度学习的模型输入、模型结构搭建及模型输出的实施过程与步骤进行全方位剖析，进而加深读者对矿产资源潜力智能评价的理解。

本书共 13 章。第 1 章介绍当前矿产资源潜力智能评价研究现状；第 2 章介绍环境配置与样本制作；第 3~10 章分别介绍卷积神经网络、循环神经网络、深度自编码网络、生成对抗网络、深度信念网络、深度强化学习、图神经网络和深度自注意力网络的概念原理，以及基于上述网络开展矿产资源潜力评价的具体实施步骤和案例；第 11 章介绍基于地质约束的深度学习模型开展地球化学异常识别和矿产资源潜力评价；第 12 章介绍基于计算机集群和卷积神经网络的地质填图；第 13 章进一步展望矿产资源潜力智能评价未来的研究方向。

本书前言、第 1 章由左仁广执笔完成；第 2 章由李童、王子烨、张春杰、汪雪萍、左仁广等执笔完成；第 3 章由李童、张春杰、汪雪萍、刘豪、左仁广等执笔完成；第 4 章由尹博俊和左仁广执笔完成；第 5 章由熊义辉和左仁广执笔完成；第 6 章由罗紫荆和左仁广执笔完成；第 7 章由熊义辉和左仁广执笔完成；第 8 章由师子贤和左仁广执笔完成；第9章由许莹和左仁广执笔完成；第10章由尹博俊和左仁广执笔完成；第11章由熊义辉和左仁广执笔完成；第12章由尹博俊、潘婷和左仁广执笔完成；第13章由左仁广执笔完成。全书由左仁广、熊义辉、王子烨统稿。

本书的相关研究得到了赵鹏大院士、成秋明院士、陈建平教授、肖克炎教授、周永章教授、陈永清教授、毛先成教授、陈永良教授、周可法研究员、袁峰教授、夏庆霖教授、陈建国教授等学者的指导，并在吉林大学、中山大学、中南大学、成都理工大学、中国科学院地质与地球物理研究所、中国科学院广州地球化学研究所、中国地质科学院矿产资源研究所等多个单位及相关会议上进行了交流，这些都对本书的完善起到至关重要的作用。陈永良教授和毛先成教授为本书撰写推荐信用于申报国家科学技术学术著作出版基金，在此一并表示衷心的感谢。

由于作者水平有限，书中难免有疏漏之处，敬请读者批评指正。

作　者
2022 年 10 月

目　　录

第 1 章　绪　　论

我国矿产资源禀赋条件差，国内供需矛盾长期存在，对外依存度居高不下，表现出小（人均矿产占有量小）、大（需求量和消费量大）、高（对外依存度和安全风险相对较高）和降（国内资源供应和资源保障能力均有所下降）的特点（翟明国 等，2021）。此外，随着我国露头矿和易发现矿越找越少，当前和今后的找矿重点转向覆盖区和深部，研究难点聚焦深层次矿化信息特征提取与集成（左仁广，2021）。深层次矿化信息是指传统方法技术难以识别的矿化信息，包括隐蔽的矿化信息、深部的矿化信息和复杂地质背景下提取的特定信息（陈永清 等，2009）。

运用大数据新的研究范式来革新矿产资源潜力评价的传统研究模式，提高找矿成效并破解我国部分矿产资源短缺的困境，是新形势下矿产资源潜力评价面临的重大前沿科学技术难题。地质找矿数据主要包括地质、地球物理、地球化学、遥感、钻探等数据，它们的获取方式多样（包括天上遥测、地面观测、地下探测等）、数据量庞大，且具有多源、异构、高维、高计算复杂度和高不确定性等特点，符合大数据的 "4V" [数量大（volume）、更新速度快（velocity）、数据种类多（variety）、数据具有真实性（veracity）]特征（Reichstein et al.，2019），属于典型的时空大数据（Zuo，2020）。基于数据科学进行地质找矿大数据特征提取与信息的集成融合是提高覆盖区和深部找矿成效的关键（左仁广 等，2021）。矿产资源潜力智能评价是指基于大数据思维和机器学习（尤其是深度学习）对地质找矿大数据进行深度挖掘与集成融合，圈定找矿远景区并评价其资源潜力。

本章简要介绍矿产资源潜力智能评价的国内外研究现状、基于深度学习的地球化学异常识别的研究现状，以及基于深度学习的矿产资源潜力评价的研究现状。

1.1　矿产资源潜力评价概述

矿产资源潜力评价是指在成矿动力学背景和成矿规律研究的基础上，对研究区的地质、地球物理、地球化学、遥感、钻探等数据进行分析，识别和提取成矿-示矿信息，使用数学模型对成矿-示矿信息进行集成融合，在此基础上分析研究区内可能产出的矿种和矿床类型，圈定找矿远景区，并估算未发现矿床数和潜在资源量（陈建平，2021；Zuo，2020；Carranza，2008；赵鹏大，2007，2002；成秋明，2006；王世称 等，2000；Cheng et al.，1994；Agterberg，1989；Taylor et al.，1983）。矿产资源潜力评价的主要目的和任务可概括为"有什么类型的矿床产出""在哪里找"，以及"能找到多少" 3 个关键科学与技术问题。矿产资源潜力评价已从定性走向了定量，从数据稀疏型走向了数据密集型，急需大数据思维和机器学习支撑（左仁广，2021；Cheng et al.，2020；Zuo，2020；赵鹏大，2019，2015；肖克炎 等，2015）。

矿产资源潜力评价最初以定性评价为主，主要使用相似类比法分析预测区内是否有与已发现矿床相似的成矿地质环境，从而判断预测区是否有相同类型的矿床产出（Taylor et al.，1983）。20世纪80年代，随着地理信息系统（geographic information system，GIS）的发展并被成功引入矿产资源潜力评价（Carranza，2008；Pan et al.，2000；Cheng et al.，1999；Bonham-Carter，1994；Agterberg，1992，1989，1970），矿产资源潜力评价逐步走向了定量评价阶段。以加拿大Agterberg F.P.和Bonham-Carter G.教授为首的科研团队改进和发展了基于贝叶斯的证据权模型，并建立了一套完备的基于GIS的矿产资源潜力评价理论体系（Cheng et al.，1999；Bonham-Carter，1994；Agterberg，1992，1989）。这一阶段的特点是GIS技术被应用于矿产资源潜力评价的全过程，包括矿产资源潜力评价数据的收集预处理、证据图层制作、找矿远景区的圈定等。比如我国实施的全国矿产潜力评价项目全过程使用了 GIS 技术（肖克炎 等，2007；叶天竺 等，2007）。在这一阶段，很多新方法和模型被引入矿产资源潜力评价中，这些方法可分为知识驱动和数据驱动两大类（Carranza，2008；Bonham-Carter，1994）。数据驱动方法主要是研究已知矿床与周围地质环境及多元找矿信息之间的统计规律，以此确定指示矿床赋存部位地质特征的最佳组合，并借助数学模型开展矿产资源潜力评价。该类方法一般适用于勘查程度相对较高且存在一定数量已知矿床（点）的地区，常用模型包括证据信度模型（Chung et al.，1993；An et al.，1991）、判别分析模型（Chung，1977）、证据权模型（Agterberg，1992）、逻辑回归模型（Carranza et al.，2001；Agterberg，1989）、神经网络模型（Porwal et al.，2003；Singer et al.，1996）、贝叶斯网络模型（Porwal et al.，2006）等。知识驱动方法则要查明矿床形成的基本过程和因素，通过对综合勘查资料和区域成矿规律系统的研究，掌握矿床形成的机制、控矿要素及找矿标志，并结合专家知识将这些要素和过程转化为GIS数字信息，进而圈定成矿远景区。常用的知识驱动模型包括模糊逻辑模型（Nykänen，2008；An et al.，1991）、布尔逻辑模型（Harris et al.，2001；Bonham-Carter，1994）、二值化指标叠加模型（Bonham-Carter，1994）、离散化指标叠加模型（Harris，1984）等。当前比较主流的是基于成矿系统的矿产资源潜力评价方法，该方法的首要任务是描述成矿系统，刻画控制矿床形成与保存的关键要素和过程（包括源、运、储、变、保等）（Davies et al.，2020；Ford et al.，2019；Mccuaig et al.，2010；翟裕生，1999；Wyborn et al.，1994）。在此基础上，综合利用多种方法识别和提取这些关键过程或要素，并对其进行集成融合，圈定找矿远景区。

矿产资源潜力评价研究涉及地球系统、成矿系统、勘查系统、评价系统（张振杰 等，2021；翟裕生，2007）。从矿产资源潜力评价的角度出发，地球系统研究主要探究重大地质事件和深部地质过程对矿床时空分布的制约；成矿系统研究主要探究矿床的成因模型及"源-运-储-变-保"等过程；勘查系统研究主要探究地质-地球物理-地球化学综合找矿模型；评价系统研究基于现有的数据识别和提取找矿模型中的找矿指标，建立预测模型，并开展矿产资源潜力评价。当前，上述4个系统之间的交叉融合还需要进一步加强，尤其是成矿系统与勘查系统（矿床学与矿产勘查学的交叉融合，可更好地服务于把成矿模型转化成找矿模型）及勘查系统与评价系统（矿产勘查与数学地球科学深度交叉融合，可更好地服务于把地质找矿数据转化成找矿指标）的交叉融合。矿床是具有最大经济价值的异常，找矿最重要的是识别和提取成矿-示矿信息，然后根据矿床形成的地质环境及矿床的保存变化情况判断提取的成矿-示矿信息是否属于矿致异常，进而圈定找矿远景区并评价矿产资源潜力。矿产资源潜力评价的一般流程如图 1.1 所示。

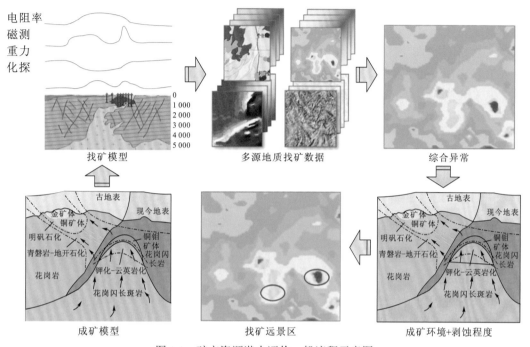

图 1.1 矿产资源潜力评价一般流程示意图

1.2 矿产资源潜力智能评价方法概述

深度学习是具有多层隐含层的神经网络模型，通过学习和提取数据更深层次的抽象特征，进而达到提升分类或预测准确性的目的（LeCun et al.，2015；Hinton et al.，2006a），是目前进行大数据处理与分析的最佳方法之一。21 世纪以来，随着地质信息化程度的提高，人们已经积累了大量的地质、地球物理、地球化学、遥感和钻探数据，地质科学进入了地质大数据时代。深度学习通过从低级到高级（隐蔽信息）逐层提取矿致异常，可识别和提取常规方法难以发现的矿致异常。同时深度学习可对多种控矿要素间复杂的时空耦合关系进行无限逼近和拟合，提高多源找矿信息融合成效。因此，矿产资源潜力评价亟须与深度学习相结合，发展基于深度学习的矿产资源潜力智能评价理论与方法。

在著名的《韦氏词典》中，智能（intelligence）有三种解释："having or indicating a high or satisfactory degree of intelligence and mental capacity，or revealing or reflecting good judgment or sound thought（具有令人满意的智力和心智能力，或显示或反映良好的判断力或健全的思想）"；"possessing intelligence，or guided or directed by intellect（拥有智慧，或由智慧引导或指导）"；"guided or controlled by a computer，or able to produce printed material from digital signals（由计算机引导或控制的，或能从数字信号中产生印刷

品的）"。据此，矿产资源潜力智能评价可定义为：利用人工智能算法对包括地质文本在内的地质找矿时空大数据进行深度挖掘，构建矿产资源潜力评价领域知识图谱，以知识图谱中所包含的专家知识为驱动，对地质找矿时空大数据进行集成融合，进而圈定找矿远景区并评价其资源潜力。矿产资源潜力智能评价包括智能认知（对矿床成因和找矿模型的抽取与表达）、智能学习（关键控矿要素识别与提取）和智能决策（找矿信息挖掘与集成）（图 1.2）。即利用知识图谱和人工智能算法挖掘包含文本数据在内的地质找矿大数据，构建矿产资源潜力评价领域知识图谱，实现成矿规律的智能认知；利用 GIS和人工智能算法分析和挖掘地质找矿时空大数据与矿床的空间相关性，识别和提取知识图谱中关键找矿信息，实现找矿信息的智能学习；利用人工智能算法对多源找矿信息深度集成融合，圈定找矿远景区和评价矿产资源潜力，实现找矿评价的智能决策。

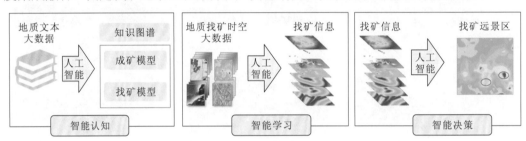

图 1.2 矿产资源潜力智能评价流程示意图

　　矿产资源潜力智能评价强调知识图谱、地理信息系统和深度学习算法的相互融合。矿产资源潜力评价是在成矿动力学背景和成矿规律研究的基础上开展的，如何构建包含矿床形成与保存及找矿模型知识的矿产资源潜力评价领域知识图谱就显得格外重要。矿产资源潜力评价关键在于空间位置评价，因此，地理信息系统提供的强大的空间分析功能，可有效地分析地质找矿大数据与矿床时空分布规律的相关性。

1.2.1 智能认知

　　智能认知是指基于知识图谱等人工智能算法，对地质大数据进行分析，实现计算机自动学习和抽取矿床成矿模型或找矿勘查模型的关键知识和要素。知识图谱是一种用于积累和传递真实世界知识的数据图，其节点表示感兴趣的实体，其边表示实体之间的语义关系（Hogan et al.，2020）。知识图谱本质上为领域知识库，它利用三元组的强语义关系组织管理知识。从知识管理的角度，知识图谱可以看作语义升级版的专家系统（Wang et al.，2021）。知识图谱中蕴含的专家知识和认知可以驱动矿产资源潜力评价的智能化和自动化。

　　智能认知主要以知识图谱为核心，利用自然语言处理、深度学习和数据映射等方法对地质大数据进行深度挖掘，构建矿产资源潜力评价领域的"智脑"。考虑知识图谱的适用性和方便性，矿产资源潜力评价领域知识图谱可以从两个方面构建知识概念模型：①从"源"（成矿物质来源、流体来源和热源）、"运"（成矿物质运移通道）、"储"（成矿物质沉淀场所）、"变"（矿床形成后的变化）和"保"（矿床的保存）5 个层面构建矿床形成和变化保存的成矿模型的知识图谱；②从矿床形成的地质环境（包括大地构造背景、成矿环境、成矿时代等）、矿床特征（包括矿体空间分布、矿物组合、矿石结构、构造、围岩蚀变等）、地球化学特征（包括单元素异常和地球化学组合异常）、地球物理特征（包括重力、磁法、电法等）、遥感特征（包括线、面、环、矿化蚀变等）等方面构建找矿模型的知识图谱（图1.3）。

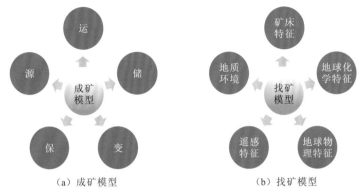

（a）成矿模型　　　　　　　　　　　　（b）找矿模型

图1.3　矿产资源潜力评价领域知识图谱概念模型

地质文本挖掘与矿床的知识图谱构建是目前矿产资源潜力评价领域研究的热点（Holden et al.，2019；Wang et al.，2018a，2018b）。例如Li等（2018）采用卷积神经网络（convolutional neural network，CNN）算法将地质文献分为地质、地球化学、地球物理、遥感4类进行挖掘，并结合知识图谱等技术，实现了地质找矿信息的智能提取；周永章等（2021）分析了地质矿产领域知识图谱构建技术，探讨了发展地球系统-成矿系统-勘查系统-预测评价系统知识图谱的相关思路。尽管如此，将知识图谱用于矿产资源潜力评价尚处于探索阶段，还需要更多成功的案例促进该方向的发展。除自然语言处理和深度学习算法外，更应该关注如何构建适用于矿产资源潜力评价的知识图谱，如何定义矿产资源潜力评价领域知识图谱的实体和关系的尺度与粒度，以及如何将地质矿产的领域知识与地质变量、多源数据进行有效地链接和驱动，实现矿产资源潜力评价的自动化和智能化。图1.3为成矿模型和找矿模型的概念模型，虽然它不能完整地刻画矿产资源潜力评价领域的知识图谱，但能够很好地表达出成矿系统和勘查系统的关键要素，可以作为构建矿产资源潜力评价领域知识图谱的基本框架。

1.2.2　智能学习

智能学习是指智能学习矿床的空间分布规律，挖掘矿床与地质要素的空间相关性，从而识别矿致异常，其主要研究内容包括：①利用GIS空间分析技术对地质数据（包括已知矿床、岩浆岩、构造、地层等）进行分析，探究矿床的时空分布规律，挖掘矿床与地质要素间的时空相关性；②利用深度学习算法对地质找矿大数据进行分析和挖掘，识别和提取矿致异常，如图1.4所示。

利用GIS分析矿床与地质要素（如岩浆岩、构造、地层等）之间的空间相关性，主要采用GIS的空间分析功能，对地质体边界或断裂进行缓冲区分析，统计不同缓冲区内落入的矿床（点）数，可定量刻画地质要素与矿床的空间相关性，并据此度量地质要素

（证据图层）的重要性（权重）及对证据图层进行空间赋值。如 Zuo（2016）发现岩浆热液矿床的数目随矿床离控矿要素的距离增大而急剧减少的现象，而且这种现象可用幂律函数进行表达，进而提出了矿床的空间分布密度 ρ 与矿床离控矿要素的距离 x 的数学模型 $\rho=cx^{-d}$（其中，c 为常数，d 为分维数）。利用该模型在 GIS 的支持下可定量度量地质要素与矿床空间分布的关系，并能对地质要素进行赋值。

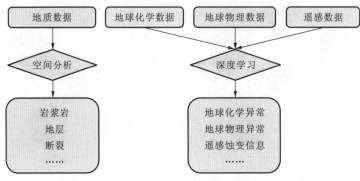

图 1.4　基于 GIS 和深度学习的找矿信息识别

　　深度学习算法利用多层隐含层可对高维、非线性的地质找矿大数据（地球化学数据、地球物理数据和遥感数据等）进行深度挖掘，并可充分考虑多变量间复杂的非线性关系和空间特征，因此能充分识别和提取矿致异常，包括常规方法无法识别的矿致异常。

1.2.3　智能决策

　　智能决策是指利用深度学习算法对多源找矿信息进行集成融合，并转化成找矿知识，辅助找矿决策。地质、地球物理、地球化学等单一找矿信息仅能反映地质异常体/矿体的某一特征，往往具有多解性和不确定性。多源找矿信息集成可减少单一信息带来的多解性和找矿的不确定性。深度学习强调通过更深层次的网络模型来学习和提取样本特征，从而有效刻画成矿过程中关键地质要素间复杂的时空耦合关系，对地质、地球物理、地球化学等多源地学数据进行特征提取和集成融合，进而圈定找矿远景区和评价矿产资源潜力（图 1.5）。1.4 节将介绍基于深度学习的多源找矿信息集成融合研究现状。

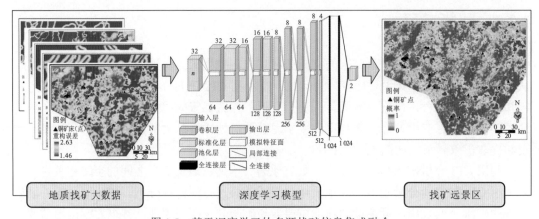

图 1.5　基于深度学习的多源找矿信息集成融合

1.3 基于深度学习的地球化学异常识别

地球化学异常是最重要的找矿信息之一，当前的勘查地球化学重点任务之一是对现有的勘查地球化学数据进行二次挖掘与利用，识别和提取传统方法无法识别的模式和异常（左仁广，2019）。机器学习（包括深度学习）算法不需要对数据的分布模式做出假设，可用于刻画复杂的勘查地球化学数据分布，已被引入勘查地球化学领域中（Zuo et al.，2021，2020，2019），例如 Kohonen 神经网络（Yu et al.，2019；Sun et al.，2009）、模糊神经网络（Ziaii et al.，2009）、受限玻尔兹曼机（Chen et al.，2014）、Adaboost 算法（Gonbadi et al.，2015）、随机森林（Wang et al.，2019）、单类支持向量机（Chen et al.，2017）、孤立森林（Wu et al.，2018）、Bat 算法（Chen et al.，2021，2020a）、关联规则算法（刘心怡 等，2019）、推荐系统算法（王堃屹 等，2019）等。这些算法可刻画复杂地质过程导致的地球化学分布模式，已成为当前勘查地球化学数据挖掘研究的热点和前沿。

以上用于地球化学异常提取的模型大多为浅层机器学习模型，即模型的结构仅带有一层隐含层节点（如单类支持向量机）或没有隐含层节点，可能学习不到地球化学空间模式中更深层次的特征。深度学习作为一种具有多级非线性变换的层级机器学习算法，可通过更深层次的网络模型来学习和提取深层次特征信息，达到高精度分类和预测的目的（LeCun et al.，2015；Hinton et al.，2006a）。我国学者较早地使用深度学习模型开展了复杂地质条件下的地球化学异常识别，如 Chen 等（2014）利用连续受限玻尔兹曼机有效识别了多元地球化学异常。在该模型的基础上，Xiong 等（2016）构建了基于深度自编码网络的多元地球化学异常识别模型，提高了深层次地球化学异常识别能力，在闽西南地区铁多金属矿区得到了有效验证，并被推广到其他研究区（Aryafar et al.，2017；Moeini et al.，2017）。Zuo 等（2018）尝试使用全部地球化学变量，将大数据思维和深度学习方法相结合，充分考虑元素组合的复杂性和多样性，为刻画具有非线性特征的地球化学空间模式和提取隐式的异常提供了新途径，可更好地应用于地球化学异常识别。基于深度学习强大的特征提取能力，Xiong 等（2020）进一步构建了深度置信网络与单类支持向量机相结合的混合模型，将深度学习模型提取的深层次特征信息作为单类支持向量机异常检测算法的输入，能够更好地提取多元地球化学异常信息。Zhang 等（2019a）将深度自编码网络与基于密度的聚类算法相结合，将深度自编码网络提取的深层次的地球化学特征作为密度聚类算法的输入，进行了多元地球化学异常识别和提取。Wang 等（2020）构建了基于层次聚类的堆栈降噪自编码网络来提取地球化学数据的深层次特征信息，并作为非监督孤立森林异常检测算法的输入，有效地提取了浙西北地区铅锌银多金属矿的地球化学异常。针对地球化学数据中存在的数据缺失与噪声问题，Xiong 等（2022a）引入了卷积降噪自编码网络，可从不完整或存在噪声的地球化学数据中有效且稳健地识别和提取地球化学异常信息。Luo 等（2020）引入了变分自编码模型，使用概率编码器来模拟潜在变量的分布，考虑了数据潜在空间的可变性，扩展了自编码网络的表现力，在处理具有相同平均值的正常数据和异常数据时，也可表征出数据间的差异。Zhang 等（2021a）和 Luo 等（2021）将生成对抗网络与自编码网络相结合，对多元地球化学数据进行了更加精确的建模，提升了地球化学异常信息提取能力。但是，这些勘查地球化学数据处理方法忽略了地球化学数据的空间特性。卷积神经网络中的卷积、池化操作充分考虑了数据的空间结构特征，被大量引入地球化学数据处理中（Xiong et al.，2022a；Zhang et al.，2021b；Li et al.，2020a；Chen et al.，2019a，2019b）。例如 Chen 等（2019b）利用卷积自编码网络提取地球化学空间结构特征，并开展了地球化学异常的识别和提取。

以上用于地球化学异常识别的深度学习方法大多为非监督或半监督学习方法，监督的卷积神经网络的局部连接、权值共享及池化操作等特性可以有效地降低网络的复杂度，减少训练参数的数量，使模型对平移、扭曲、缩放具有一定程度的不变性，并具有强鲁棒性和容错能力，因而在勘查地球化学领域也逐渐受到重视。然而，监督的卷积神经网络训练需要大量的标签数据，针对成矿稀有事件导致训练样本不足的问题，Zhang 等（2021b）采用像素对匹配的方法对训练样本量进行了扩充，然后采用卷积神经网络开展了地球化学异常识别和提取。Li 等（2020a）将迁移学习和卷积神经网络相结合，迁移学习减少了有限训练样本对基于卷积神经网络地球化学异常识别模型的影响，提高了异常识别精度。

地质系统的复杂性及成矿作用的多期多阶段性导致勘查地球化学数据具有复杂的空间和频率分布特性。研究表明，地球化学数据常常不满足某个单一的统计分布形式，因此传统多元统计方法并不能很好地度量多元地球化学数据的分布情况。而机器学习不依赖数据的分布，可用于刻画复杂的、非线性的地学空间模式，可以对勘查地球化学数据进行有效处理并进行异常特征提取，从而解决传统多元统计学方法对数据分布形式依赖的局限性，并可以发现常规方法发现不了的异常和模式（Zuo et al.，2019，2018）。因此，需要大力推进机器学习，尤其是深度学习在勘查地球化学异常识别与评价中的应用。然而，深度学习模型的中间过程为"黑箱"，很难知道元素间的相互关系和内在联系，但这些信息具有特定的地质内涵，对矿床的成因和矿产勘查具有重要的指示意义（左仁广，2019；Zuo，2017）。因此，结合勘查地球化学的特点，通过融合地质约束的机器学习和深度学习算法开展勘查地球化学大数据挖掘与集成，实现物理模型和机器学习、理论驱动与数据驱动的有机融合是未来该领域的重要研究方向（左仁广 等，2021）。

1.4 基于深度学习的矿产资源潜力评价

目前，基于深度学习的多源矿化信息集成融合方法主要包含两类。一类是基于无监督的方法，如 Chen（2015）利用受限玻尔兹曼机对 5 组地球化学异常及 9 组成矿地质要素以重构的方式进行了集成融合，将重构误差较大区域定义为找矿远景区；通过与证据权模型及逻辑回归模型的对比，发现该方法可以有效地对铜锌多金属矿成矿区的多源找矿信息进行集成融合。Xiong 等（2018）在深入研究福建闽西南地区成矿地质背景、成矿规律和成矿模型的基础上，对多源、异构的数据进行了数据清洗，建立了研究区1∶20 万区域矿产预测空间数据库。在地质认识和区域找矿规律的约束下，选取了燕山期岩体、断裂构造、地球物理异常及区域1∶20 万地球化学数据等共计 42 种变量作为深度学习方法的输入，建立了综合信息定量找矿模型。利用深度自编码网络对这些数据进行特征挖掘与集成，圈定了铁多金属矿成矿远景区，结果发现大多数已发现的铁多金属矿床（点）落在高重构误差区内，这表明深度自编码网络是一种有效的多源找矿信息集成融合方法。另一类是基于监督的方法，其中卷积神经网络在矿产资源潜力评价中应用最为广泛。例如刘艳鹏等（2018）利用卷积神经网络算法，挖掘了地球化学元素分布特征与矿体地下方位空间的耦合相关性；Li 等（2021b）基于地质找矿大数据，利用三维卷积神经网络，实现了三维找矿远景区预测；Sun 等（2020）对随机森林、支持向量机、人工神经网络及卷积神经网络在矿产资源定量预测中的应用效果进行了对比，发现卷积神经网络可得到最高的预测精度。另外，一些经典的卷积神经网络模型，如 AlexNet、GoogLeNet、Vnet 也被应用于矿产资源潜力评价，对成矿相关地质要素（如地球化学、地层、岩体、断裂）间的复杂时空耦合关系进行了挖掘，并圈定了找矿远景区（Li et al.，2021a，2021b，2020b；McMillan et al.，2021；Yang et al.，2021）。

然而，要得到较好的矿产预测结果，监督的深度学习方法（如卷积神经网络）的前提是需要大量标记的训练样本。成矿作用属于稀有地质事件，已知矿床（正样本）数量稀少，不能满足监督学习对训练样本量的要求，导致模型的准确率低且泛化能力差，预测效果不理想。构建大量含标签的训练样本是监督深度学习在深层次找矿信息集成融合中的一个挑战（左仁广 等，2021）。数据增强方法可通过合成或转换等方式扩充训练样本（Perez et al.，2017）。如 LeCun 等（2004）从不同角度拍摄有限的目标以获得大量的训练样本集。在图像识别领域，常采用仿射变换（如缩放、旋转、位移等）、图像处理方法（如对比度变换、光照色彩变换等）及添加噪声等数据增强方法构建训练样本。Li 等（2021a）利用随机添加噪声的方法，将 19 个正样本增加到 1900 个，进而基于卷积神经网络实现了闽西南铁多金属矿有利成矿信息的集成与融合。Parsa（2021）提出基于迭代窗口的数据增强技术生成模型训练的标签样本数据。除此之外，Zhang 等（2021b）引入像素对匹配方法，对卷积神经网络训练样本进行了扩充。Xu 等（2021）提出利用连续的概率值代替标签数据，进行深度回归神经网络的训练，减小了因训练样本不足而引入的不确定性。另外，深度学习模型结构复杂、参数多，导致模型构建难，如何调节与优化深度学习模型参数，使模型性能达到最优且稳定的状态，进而找到适合找矿信息智能挖掘与集成的深度学习模型是目前面临的又一个重要挑战。例如，左仁广 等（2021）以卷积神经网络为例，通过开展多组对比试验，确定训练样本尺寸大小、模型隐含层结构、超参数设置等，最终构建了适用于地质找矿大数据挖掘与集成的卷积神经网络模型。

尽管如此，深度学习在矿产资源潜力评价中仍处于探索阶段，要想充分挖掘深度学习模型在矿产资源潜力评价中的潜能，最终形成具有普适性的理论与方法，还有一系列问题亟须解决，比如：如何将成矿规律和地质认知与深度学习模型有机结合，如何制作深度学习模型的样本集，如何构建适合多源地学数据的网络模型及减少预测的不确定性等（左仁广 等，2021）。

第2章 环境配置与样本制作

本书介绍的深度学习算法主要在 TensorFlow 系统中二次开发。TensorFlow 是目前流行的端到端开源深度学习平台之一，可全面地构建和训练深度学习模型。深度学习算法的编程语言有 Python 和 MATLAB 语言等，主要在 Anaconda、MATLAB 和 PyCharm 等软件中进行编译。Anaconda 下载及安装教程：https://www.anaconda.com/download；MATLAB 下载及安装教程：https://ww2.mathworks.cn；PyCharm 下载及安装教程：http://www.jetbrains.com/pycharm。

2.1 TensorFlow 环境配置

TensorFlow 环境配置的步骤如下。

（1）创建 TensorFlow 环境，并安装指定 Python 版本。以 Python3.5 为例，点击 Anaconda Prompt（anaconda），输入：conda create --name tensorflow python=3.5（图 2.1）。

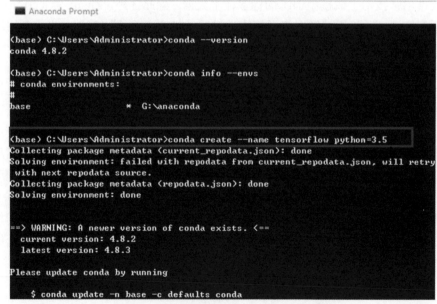

图 2.1 Anaconda 中设置 TensorFlow 环境

（2）激活 TensorFlow 环境，输入：activate tensorflow（图 2.2）。

（3）检测 TensorFlow 的环境是否添加到 Anaconda 中，输入：conda info --envs（图 2.3）。

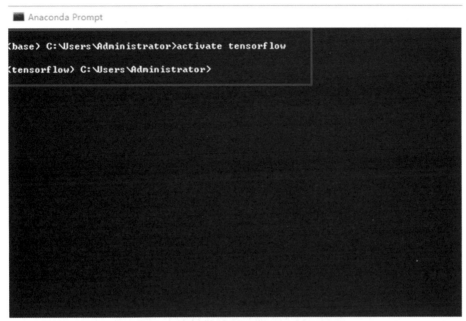

图 2.2　Anaconda 中激活 TensorFlow 环境

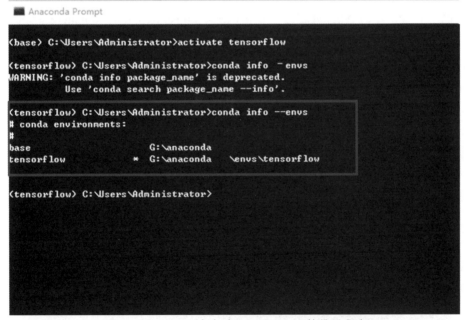

图 2.3　Anaconda 中查看 TensorFlow 环境是否成功

（4）检测 TensorFlow 环境中的 Python 版本，输入：python --version（图 2.4）。

（5）安装 TensorFlow，输入：pip install --upgrade --ignore-installed tensorflow，默认下载最新版本 TensorFlow2.X 版本。若想指定 TensorFlow 安装版本（如 TensorFlow1.4），输入 pip install --upgrade --ignore -installed tensorflow==1.4。

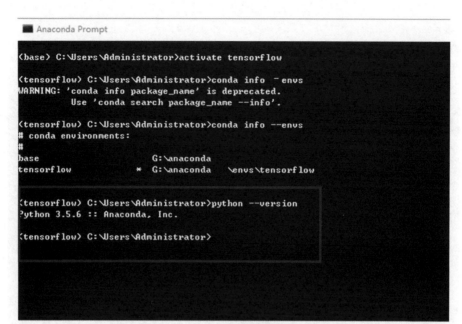

图 2.4　Anaconda 中查看 Python 版本

推荐使用国内镜像源安装，如中国科学技术大学、清华大学镜像站。示例采用清华大学镜像源安装，在命令窗口输入：pip install -i https://pypi.tuna.tsinghua.edu.cn/simple/ tensorflow；若指定版本则输入：pip install -i https://pypi.tuna.tsinghua.edu.cn/simple/ tensorflow==1.4（图 2.5）。通过下载和安装后，会显示 TensorFlow 已成功安装（图 2.6）。

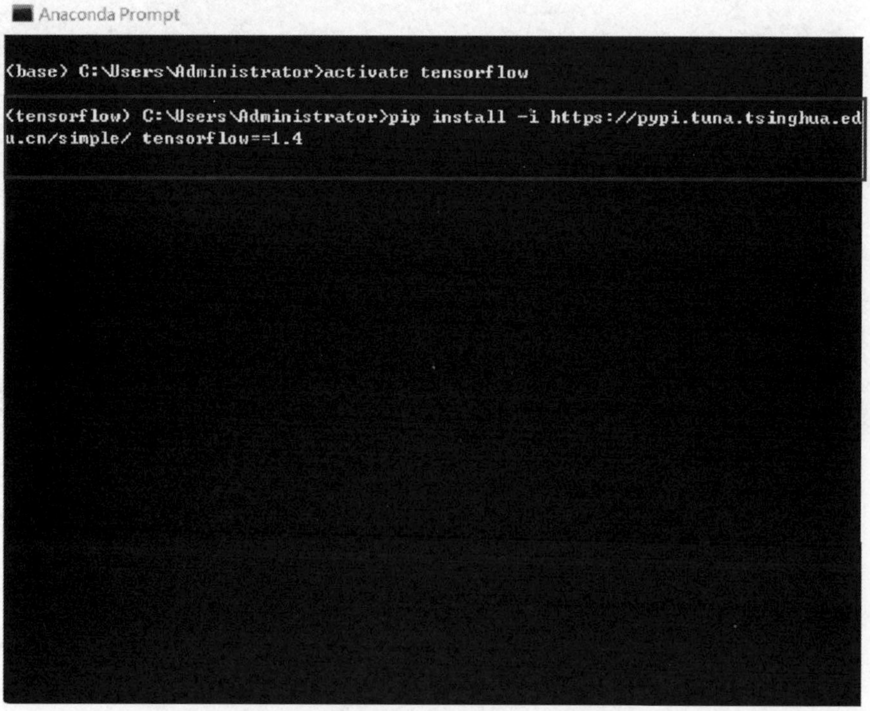

图 2.5　Anaconda 中安装 TensorFlow

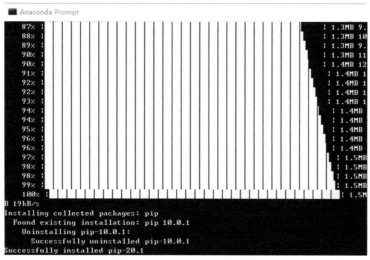

图 2.6   TensorFlow 安装成功

2.2   数 据 准 备

数据输入和输出主要有两种表达格式，其一为纯文本形式存储表格数据 csv（以".csv"为扩展名），其二为标签图像文件格式 TIFF（以".tif"为扩展名）。以地球化学和证据图层数据输入为例，本节将介绍以上两种数据表达格式。

1. csv 格式

csv 全称为逗号分隔值文件格式，在电子表格（Microsoft Excel）中通常以纯文本的方式存储数据表。地球化学 csv 数据格式如图 2.7 所示。第一行为表头字段，代表地球化学元素，从第二行开始代表每个样本点对应元素含量值。

C	D	E	F	G	H	I	J
Cu	Mo	Pb	Zn	Al_2O_3	CaO	Fe_2O_3	MgO
4.000	3.400	70.000	37.500	15.000	0.080	1.600	0.080
7.500	7.800	106.000	32.500	24.200	0.010	3.200	0.110
4.000	11.900	63.000	37.500	18.900	0.170	2.400	0.060
3.000	2.300	63.000	30.000	16.400	0.130	1.900	0.070
2.500	6.200	80.000	82.500	21.300	0.110	2.940	0.160
2.500	3.400	45.000	77.500	16.800	0.100	2.290	0.150
3.000	2.000	60.000	92.500	20.500	0.130	2.940	0.220
3.000	1.400	35.000	45.000	10.000	0.150	1.500	0.130
2.500	5.200	55.000	82.500	19.000	0.130	2.100	0.160
3.500	6.000	50.000	87.500	20.100	0.150	3.040	0.230
6.500	1.300	40.000	70.000	13.100	0.220	2.340	0.250
3.000	2.000	45.000	65.000	17.500	0.130	2.270	0.190
5.500	2.600	37.500	81.000	17.400	0.200	3.150	0.290
3.000	5.400	55.000	72.500	19.000	0.170	2.090	0.210
2.500	5.000	50.000	60.000	16.400	0.110	1.710	0.130
6.500	2.000	35.000	70.000	15.900	0.200	3.000	0.290
2.500	3.600	50.000	70.000	18.100	0.170	2.780	0.250
1.500	8.400	60.000	52.500	17.300	0.050	2.120	0.110
15.700	2.000	31.400	76.100	15.400	0.260	5.090	0.490
4.000	1.700	55.000	95.000	20.100	0.250	3.650	0.360
2.500	2.400	60.000	77.500	20.500	0.150	2.760	0.240
4.000	2.000	60.000	90.000	19.300	0.150	3.270	0.380
3.500	1.400	40.000	70.000	14.000	0.100	2.320	0.200

图 2.7   地球化学 csv 数据格式示例

证据图层 csv 数据格式如图 2.8 所示。第一行代表表头字段，前五列代表证据图层，最后一列代表样本标签（正样本赋值 1，负样本赋值 0）。

A	B	C	D	E	F
Formation	Granite	Geochemical	Fault	Magnetic	Label
0.00	0.00	0.70	0.02	1.00	0
0.00	0.00	0.60	0.03	1.00	0
0.00	0.00	0.60	0.05	0.90	0
0.00	0.00	0.50	0.05	0.90	0
0.00	0.00	0.50	0.09	0.90	0
0.00	0.00	0.50	0.09	0.90	0
0.00	0.00	0.50	0.15	0.90	0
0.00	0.00	0.40	0.15	0.80	1
0.00	0.00	0.40	0.15	0.70	0
0.00	0.00	0.40	0.15	0.60	0
0.00	0.00	0.40	0.09	0.60	1
0.00	0.00	0.40	0.05	0.50	0
·0.00	0.00	0.30	0.03	0.40	0
0.00	0.00	0.30	0.02	0.40	0

图 2.8　证据图层 csv 数据格式示例

在 Python 中读取 csv 文件（以 geochemical_data.csv 命名），可以直接调用标准库中的模块。

```
import csv
data=open('geochemical_data.csv','rb')
reader=csv.reader(data)
```

写入 csv 格式数据（以 data.csv 命名）亦同。

```
import csv
data=open('geochemical_data.csv','rb')
writer=csv. writer(data)
```

2. TIFF 格式

TIFF 全称为标签图像文件格式，主要用于存储栅格图像数据，可以支持多色彩及多波段图像。

在 Python 中读取 TIFF 文件（以 geochemical_data.tif 命名），可以直接调用标准库中的模块。

```
import cv2
data=cv2.imread('geochemical_data.tif',-1)
```

写入 TIFF 格式数据（以 data.tif 命名）亦同。

```
import cv2
cv2.imwrite('data.tif', geochemical_data.tif)
```

2.3　样　本　制　作

勘查地球化学或矿床（点）数据常被视为"点"数据，直接作为深度学习模型的输入，往往无法表征研究区地质特征且缺失相关数据空间结构（左仁广 等，2021）。因此，如何构建包含这些"点"数据的空间特征样本是深度学习模型训练前需要解决的重点问题。

深度学习模型训练样本一般采用滑动窗口技术制作。基于滑动窗口的样本制作流程一般以每个栅格（矿床点）作为中心，选择窗口大小尺寸 n，利用滑动窗口技术生成若干个同样大小的具有空间特征的训练样本，并以中心点类别标注训练样本（图2.9）。详细代码见附录1。

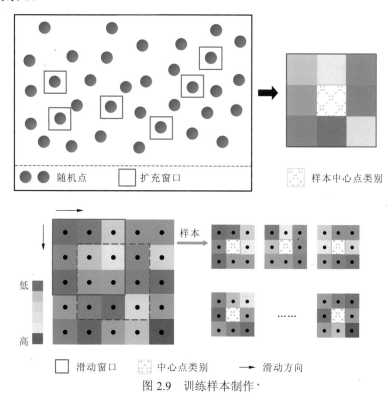

图 2.9　训练样本制作

2.4　数　据　增　强

随着机器学习算法的发展，网络深度的不断增加带来精度提升的同时，对训练样本量的要求也大大提高。在地球科学领域，由于成矿作用属于稀有地质事件，正确标注的训练样本往往不足以支撑深度学习算法的训练，此时需要对训练样本进行扩增。如果将常规的数据增强方法，例如旋转、翻折、调整亮度等，直接应用于地球科学数据，可能会产生与地质认知不符的数据。以矿点周边的断裂分布数据（图2.10）为例，旋转或翻折的数据并不符合矿体受北东向断裂构造控制的实际情况。因此,如何基于已有的样本进行有效的数据增强是模型训练之前首先需要解决的问题。

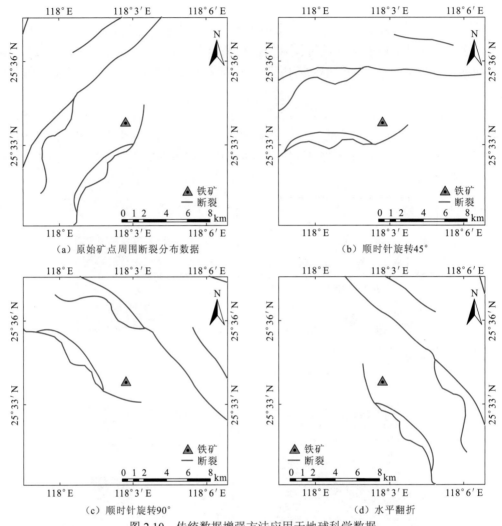

图 2.10　传统数据增强方法应用于地球科学数据

引自 Li 等（2021a）

2.4.1　基于地质约束的数据增强方法

1. 模型输入为像素点

该数据增强方法主要流程:将矿点转换为栅格图层,以每个矿点所在的栅格为中心,向四周扩充 $n×n$ 的像素块,并把像素块内的所有点都视为矿点,这样一个矿点就被扩充为 n^2 个矿点(图 2.11)。该方法需满足两个标准:①研究区域内的矿化带不能相互重叠;②矿化带不应占预测面积的 1% 以上。另外需要注意,为了将矿点集中在一个方形窗口中,n 应该取奇数。当研究区形状不规则时,可以使用获取地球化学采样点坐标的方式对每一个扩充的矿点进行赋值;当研究区形状规则时,则可以对上述操作进行简化,直接使用点的属性对矿点进行赋值。详细代码见附录 2。

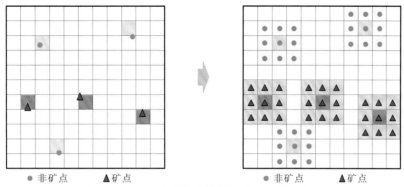

图 2.11　基于地质约束的数据增强方法示意图

2. 模型输入为像素块

该方法主要流程：①训练样本的大小由两个已知矿点之间的最近距离决定，这样可以使每个训练样本只包含一个已知矿点；②以矿点或非矿点为中心，向四周扩充 $n \times n$ 的像素块；③设置训练样本的最小尺寸为 $m \times m$（$m=(n+1)/2$），这样可以使每个训练样本都包含已知的矿点或非矿点；④通过裁剪每个大样本，可以生成 m^2 个不重复的大小为 $m \times m$ 的子样本。其操作方法示意图见图 2.12。详细代码见附录 3。

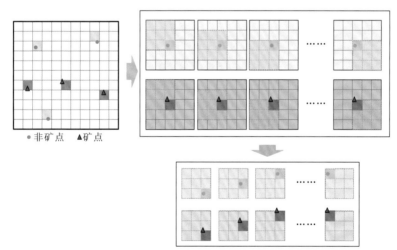

图 2.12　基于窗口裁剪的数据增强方法示意图

2.4.2　基于 random-drop 的数据增强方法

基于 random-drop（随机失活）的数据增强方法是在确保数据所蕴含的地质意义不发生改变的情况下提升数据多样性的预处理手段。以福建闽西南 1∶20 万勘查地球化学数据为例，该方法主要流程如下（Li et al.，2021a）。

（1）导入数据并设置输入和输出数据路径。输入地球化学数据保存在 data.csv 中，矿点数据保存在 deposits.csv 中，随机负样本中心点保存在 non_deposits.csv 中（图 2.13）。

图 2.13　数据的导入

（2）设置增强参数。需要设置的主要增强参数见图 2.14。

图 2.14　主要增强参数的设置

（3）在整个研究区中随机选择一定比例的点，并将这些点对应的勘查地球化学数据替换为 0，同时保持这些点对应的其他数据（如高程、离断裂的距离、离岩体的距离等）不变（图 2.15），具体实现代码见图 2.16。

（4）以已知矿床为中心，选取一定尺寸的网格单元，从研究区中提取单元内各地球化学数据作为正样本；依据地质约束条件，以成矿可能性较低的随机点为中心，选取相同尺寸的网格单元，从研究区中提取单元内各地球化学数据作为负样本，并将增强的正负样本加入训练样本集（图 2.17），其具体代码见图 2.18。

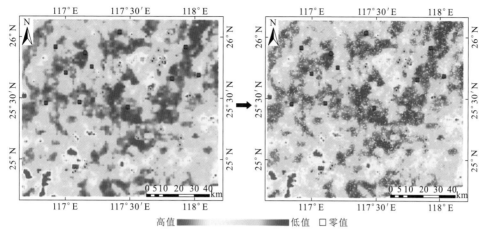

高值 ▒▒▒▒ 低值 □零值

图 2.15　替换随机点数据为 0 示意图

引自 Li 等（2021a）

```
for epochs in range(augmentation_times):
    drop_points = [random.randint(0, w * h) for _ in range(round(w * h * rate))]    # 生成随机点位置
    raw_data[drop_points, :geochemical_channel] = 0    # 替换地球化学数据
    data = np.reshape(raw_data, [h, w, channel])    # 转换成三维数据
    # 获取样本
    for i in range(len(d_location)):...
```

图 2.16　替换随机点数据代码

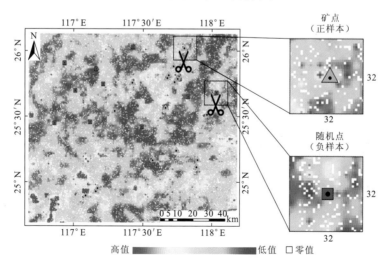

矿点
（正样本）

随机点
（负样本）

高值 ▒▒▒▒ 低值 □零值

图 2.17　裁剪正负样本附近数据示意图

引自 Li 等（2021a）

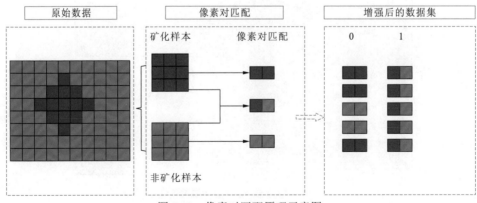

图 2.18 裁剪正负样本附近数据代码

（5）最终输出的 positive_data 文件为增强后的正样本数据，negative_data 文件为增强后的负样本数据。详细代码见附录 4。

2.4.3 基于像素对匹配的数据增强方法

基于像素对匹配方法进行数据增强的原理如图 2.19 所示（Li et al.，2016）。首先，选取研究区内矿点周围的样本作为正样本，远离矿点的样本作为负样本。然后，将选取的两类样本（可看作像素对）进行一一组合匹配，来自同一类样本的像素对被认为是相似像素对，标记为 0，而来自不同类样本的像素对则被认为是不相似像素对，标记为 1。假设原正样本有 100 个，负样本有 100 个，经过像素对匹配后，可生成两类新的数据，分别为 0 和 1，0 类有 100×99×2 个样本，1 类有 100×100 个样本。整体数据量从 200个增加到 29 800 个，极大地扩充了样本数量。

图 2.19 像素对匹配原理示意图

引自 Zhang 等（2021b）

以福建闽西南 1 : 20 万勘查地球化学数据为例，该方法主要流程如下（Zhang et al.，2021b）。

（1）导入数据。输入的地球化学数据以 geochemical_data.csv 命名；矿点（正样本，标记为 1）和非矿点（负样本，标记为 0）以 deposits.csv 命名。

（2）设置增强参数。需要设置的参数有样本数量、测试集比例、数据集维度等（图 2.20）。

```
92   #设置增强参数
93   num_samples = 171#设置正样本个数
94   train = 136#按照8：2的比例对矿点进行划分。一部分用于训练集，一部分用于测试集
95   test = 35
96   cols = 39#设置多元地球化学数据集的维度
97   classk_train = {}#训练集索引
98   classk_test = {}#测试集索引
```

图 2.20　增强参数的设置

（3）运行代码（图 2.21），增强后的数据以二进制的格式".tfrecoders"保存，并按照指定比例自动分成测试集和训练集。

```
my code for dataset.py
 1
 2    from __future__ import division
 3    get_ipython().run_line_magic('matplotlib', 'inline')
 4    # import, do some set up
 5
 6    import scipy.io as sio
 7    import matplotlib.pyplot as plt
 8    import numpy as np
 9    import tensorflow as tf
10    import os
11
12    # 读取数据
13    data = sio.loadmat('geo39.mat') # 从文件中读取多元地球化学数据样本
14    sorted(data.keys())
15    X = data['sample']
16    print(np.shape(X))
17    # normalize X to 0-255 归一化
18    for i in range(0,39):
19        X[:,:,i] -= np.amin(X[:,:,i])
20        X[:,:,i] = X[:,:,i] / np.amax(X[:,:,i])
21        X[:,:,i]*= 255
22        X[:,:,i] = np.int16(X[:,:,i])
23
24        plt.imshow(X[:,:,i])
25        print(X[:,:,i])
26
27        plt.show()
28        print(np.max(X[:,:,i]))
29        print(np.min(X[:,:,i]))
30
31
32    gt = sio.loadmat('despoit171.mat')#读入矿点位置数据
33    Y = gt['deposit']
34    print (np.shape(Y))
```

图 2.21　像素对匹配的数据增强代码

详细代码见附录 5。

关于更加详细的数据增强方法与原理，可参见 Zuo 等（2023）、Zhang 等（2021b）和 Li 等（2021a）。

卷积神经网络中的卷积、池化操作充分考虑了数据空间结构特征，在地球科学中具有广泛的应用。本章将对卷积神经网络和全卷积神经网络的基本原理及重要参数进行介绍，重点介绍基于卷积神经网络的地球化学异常识别、矿产资源潜力评价及岩性分类，包括数据输入、模型构建、参数选取及结果输出的详细实现过程。

3.1 卷积神经网络基本原理

卷积神经网络由机器学习中的多层感知机与人工神经网络发展而来，其特点为对输入数据采用卷积的方式进行特征提取，通过一系列的卷积、池化、全连接等操作，可以将输入数据转化为用于识别和分类的特征向量。典型的卷积神经网络模型如图 3.1 所示，由输入、卷积层、池化层、全连接层和输出预测组成。

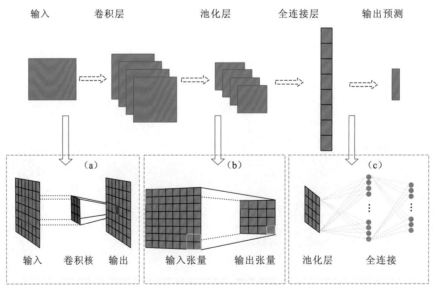

图 3.1 典型卷积神经网络结构

引自 LeCun 等（1995）

卷积层又称特征提取层，由多个特征面（feature map）组成，每个特征面由多个神经元组成，每一个神经元通过卷积核（kernel）与上层特征面的局部区域相连（图 3.2）。卷积核是一个权值矩阵，通过卷积核对输入层的数据进行点积计算实现特征提取，并通过反向传播进行训练。每个不同的卷积核提取的特征也不同，理论上卷积层的卷积核数量越多，提取的特征也就越多。

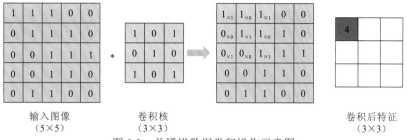

图 3.2　单通道数据卷积操作示意图

池化层紧跟在卷积层之后，是模拟复杂细胞将初级的视觉特征筛选并结合成更高级、抽象的视觉特征的过程，通常通过下采样方式实现，具有二次提取特征的作用。池化层包括平均池化、最大池化、最小池化和随机池化。在实际中常常采用最大池化法。该方法将输入数据通过池化尺寸缩减为原图的一半，同时保留每个池化窗口中的最大值，如图 3.3 所示。池化层旨在通过降低特征面的分辨率来获得具有空间不变性的特征，使输出特征图的数量不变，但是特征图的尺寸会变小，可以有效降低计算复杂度且对微小位移变化具有鲁棒性。

输入数据经多个卷积层和池化层后，提取到的多个特征面与 1 个或 1 个以上的全连接层相连接。全连接层中的每个神经元与其前一层的所有神经元进行全连接，如图 3.4 所示。全连接层可以整合卷积层或池化层中具有类别区分性的局部信息，有助于增强网络的非线性映射能力并且限制网络规模的大小，最终通过特定的激活函数实现对输入数据的分类与预测。

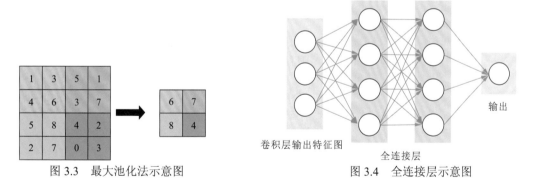

图 3.3　最大池化法示意图　　　　　　　　图 3.4　全连接层示意图

以上过程为卷积神经网络的正向传播过程，网络训练的最终目的是通过最小化网络输出结果与实际结果间的差异，也称为 loss。网络的 loss 函数通常是输出结果与实际数据类别的交叉熵损失函数，loss 函数值低则网络效果好，loss 函数值高表明网络还需要进一步训练。网络训练的目的即通过优化器的反向传播（back propagation）修改卷积层与全连接层内的权重参数，从而降低 loss 函数值。当 loss 函数收敛至一定值时，网络训练完成，表明模型获得最优的分类效果。

3.2 全卷积神经网络基本原理

全卷积网络（fully convolutional networks，FCN）由 Long 等（2015）提出，是从卷积神经网络发展而来，利用卷积层替换传统卷积神经网络中的全连接层，从而实现基于端到端的像素级分类，广泛应用于图像分割领域。FCN 通过输入层、负责特征提取的卷积层、负责降采样的池化层、负责上采样的反卷积层和负责非线性映射的激活函数连接组成，如图 3.5 所示。FCN 将卷积神经网络中最后的全连接层替换成二维卷积层，并通过反卷积层对最后获得的二维矩阵进行反卷积操作（图 3.6），将特征图的大小还原到与原始输入图像一致，从而使每个预测值都与输入图像中的像素一一对应，最终得到每个像素对应的类别，这为端到端的逐像素级分类提供了可能。

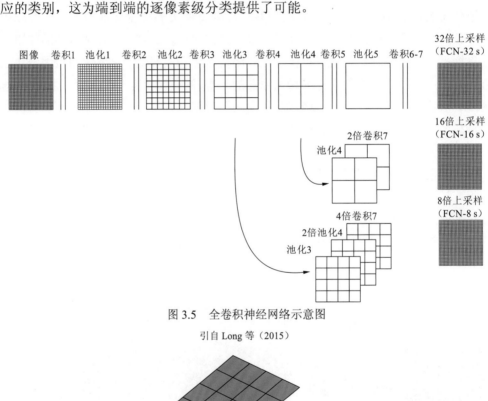

图 3.5　全卷积神经网络示意图

引自 Long 等（2015）

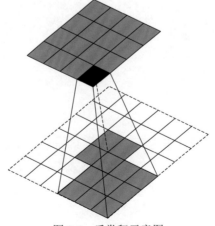

图 3.6　反卷积示意图

与 CNN 原理相似，FCN 同样使用卷积层和池化层来提取图像深层次特征。但 FCN 与 CNN 不同之处在于：其一，FCN 利用卷积层替代 CNN 中的全连接层，并通过反卷积操作，把经过多次卷积和池化后得到的分辨率逐渐变小的特征图像还原到与输入图像一致，从而实现基于端到端的像素级分类；其二，FCN 使用跳跃结构可以确保空间位置上的精确度和边缘区域分割的精确性，因此，与传统的 CNN 相比，FCN 可以接受任意尺寸的输入图像。根据上采样的倍数不同，主要有 FCN-8s、FCN-16s 和 FCN-32s 三种全卷积神经网络。当反卷积的步长为 32 时，即对特征图进行 32 倍上采样，并与相应池化后的特征图跳层连接并融合，输出最终的分类结果，这个网络称为 FCN-32s。为了获得更精细的分类效果，进行第二次步长为 16 的反卷积运算，对特征图进行 16 倍上采样，这个网络称为 FCN-16s。类似地，第三次反卷积步长为 8，这个网络称为 FCN-8s。

3.3　参　数　优　化

深度学习模型的效率很大程度上取决于其参数的选取和优化，这一过程通常称为调参。卷积神经网络涉及的参数主要分为网络结构参数与训练过程参数两个部分。其中，网络结构参数包括卷积层数量、卷积核的尺寸和数量、是否添加正则化项、激活函数的选取及全连接层尺寸；训练过程参数包括批处理大小、网络优化器的选取、学习率、迭代次数及训练集与验证集的比例等。

深度学习的调参方法有很多，比如试错（baby sitting）法、网格搜索（grid search）法、随机搜索（random search）法等（图 3.7）。目前没有最优的调参方法，在参数数量特别多的情况下，随机搜索比网格搜索更高效，在相同搜索次数下，它能尝试更多的参数值，缩小搜索范围。在小范围内，网格搜索法能弥补随机搜索带来的盲目性，提高搜索效率。但无论是哪种优化方法，目前都很难满足网络模型中众多超参数同时调优的需求，仍需借助调参者对模型的理解和个人经验，手动设置超参数，找到合适的搜索范围或者值，进而得到最优或近似最优的参数配置。

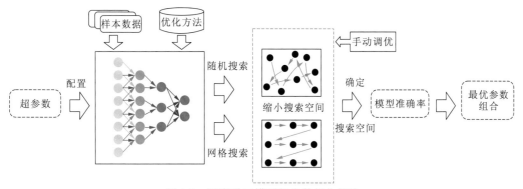

图 3.7　深度学习模型超参数优化策略

1. 卷积层数量

卷积层的作用主要是提取输入数据的结构特征。因此，理论上卷积层的数量越多，提取到的特征也就越复杂、越抽象，但会导致训练更加困难，模型更加难以收敛。在实际训练中，卷积层的数量主要取决于数据量的大小、特征的复杂程度及分类的难易程度等因素，并依据训练效果实时调整。图 3.8 所示为卷积层数量的调整代码。

```python
model = Sequential()

model.add(Conv2D(base, (3, 3),      # 卷积核尺寸
                 strides=(1, 1), padding='same', input_shape=(32, 32, 25+channels)))
model.add(BatchNormalization())   # 正则化项
model.add(Activation('relu'))     # 激活函数
model.add(MaxPooling2D(pool_size=(2, 2), padding='valid'))


# 此处可增加/减少卷积层数
model.add(Conv2D(base, (3, 3), strides=(1, 1), padding='same'))
model.add(Activation('relu'))
model.add(MaxPooling2D(pool_size=(2, 2), padding='valid'))

model.add(Conv2D(base * 2, (2, 2), strides=(1, 1), padding='same'))
model.add(Activation('relu'))
model.add(MaxPooling2D(pool_size=(2, 2), padding='valid'))

model.add(Flatten())
model.add(Dense(base * 8,    # 全连接层尺寸
                activation='relu'))  # 全连接层激活函数
model.add(Dropout(0.5))
```

图 3.8　卷积层数量的调整代码

2. 卷积核的尺寸和数量

卷积核又称过滤器（filter），是特征提取的主要工具。卷积核的尺寸决定了其感受野（receptive field）的大小，卷积核的尺寸越大，提取的特征范围越大，即提取的特征图上一个点所对应的输入数据的范围越大。卷积核的尺寸主要取决于输入数据尺寸的大小，例如：输入数据尺寸为 256×256 时，常用卷积核尺寸为 11×11；输入数据尺寸为 32×32 时，常用卷积核尺寸为 3×3。

卷积核的数量决定了对应的卷积层提取到的特征图的数量。与卷积层类似，卷积核的数量越多，表示提取到的特征越多，但也会导致训练更加困难。因此，卷积核的数量也应根据训练结果进行实时调整，调整代码见图 3.9。

3. 正则化项

正则化项的主要作用是将数据约束在一定的范围内，在一定程度上解决过拟合问题，并利于网络进行学习，从而加快训练过程。正则化项包括 L1 正则化、L2 正则化与标准化等过程。正则化项一般添加在卷积层的起始部分，本节主要利用的批标准化正则化项（batch normalization）代码见图 3.10。

4. 激活函数的选取

激活函数的主要作用是向网络添加非线性过程,常用的激活函数包括 ReLU（rectified linear unit）、Leaky-ReLU、sigmoid 和 tanh 等，如图 3.11 所示。激活函数的设置与调整代码见图 3.12。

```python
import ...

channels = 2
# c denotes channels to be trained, 0=geochemistry, 2=+DEM+slope, 3= +granites

fulldata, samples, labels = read_data(augmentation=10, rate=0.15, windowsize=32, c=channels)
# augmentation denotes the times to be augmented, 1 for no-augmentation

base = 32  # 卷积核数量

model = Sequential()

model.add(Conv2D(base, (3, 3),  # 卷积核尺寸
                 strides=(1, 1), padding='same', input_shape=(32, 32, 25+channels)))
model.add(BatchNormalization())  # 正则化项
model.add(Activation('relu'))  # 激活函数
model.add(MaxPooling2D(pool_size=(2, 2), padding='valid'))

# 此处可增加/减少卷积层数
model.add(Conv2D(base, (3, 3), strides=(1, 1), padding='same'))
model.add(Activation('relu'))
model.add(MaxPooling2D(pool_size=(2, 2), padding='valid'))
```

图 3.9　卷积核的尺寸与数量的调整代码

```python
# augmentation denotes the times to be augmented, 1 for no-augmentation

base = 32  # 卷积核数量

model = Sequential()

model.add(Conv2D(base, (3, 3),  # 卷积核尺寸
                 strides=(1, 1), padding='same', input_shape=(32, 32, 25+channels)))
model.add(BatchNormalization())  # 正则化项
model.add(Activation('relu'))  # 激活函数
model.add(MaxPooling2D(pool_size=(2, 2), padding='valid'))

# 此处可增加/减少卷积层数
model.add(Conv2D(base, (3, 3), strides=(1, 1), padding='same'))
model.add(Activation('relu'))
model.add(MaxPooling2D(pool_size=(2, 2), padding='valid'))

model.add(Conv2D(base * 2, (2, 2), strides=(1, 1), padding='same'))
model.add(Activation('relu'))
model.add(MaxPooling2D(pool_size=(2, 2), padding='valid'))

model.add(Flatten())
```

图 3.10　批标准化正则化项代码

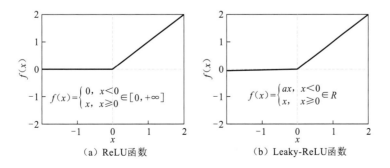

（a）ReLU函数　　　　　　　　　（b）Leaky-ReLU函数

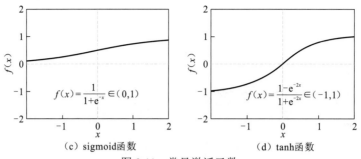

$$f(x) = \frac{1}{1+e^{-x}} \in (0,1)$$

$$f(x) = \frac{1-e^{-2x}}{1+e^{-2x}} \in (-1,1)$$

（c）sigmoid函数　　　　　　　（d）tanh函数

图 3.11　常见激活函数

```
17    model.add(Conv2D(base, (3, 3),    # 卷积核尺寸
18                     strides=(1, 1), padding='same', input_shape=(32, 32, 25+channels)))
19    model.add(BatchNormalization())  # 正则化项
20    model.add(Activation('relu'))    # 激活函数
21    model.add(MaxPooling2D(pool_size=(2, 2), padding='valid'))
22
23    # 此处可增加/减少卷积层数
24    model.add(Conv2D(base, (3, 3), strides=(1, 1), padding='same'))
25    model.add(Activation('relu'))
26    model.add(MaxPooling2D(pool_size=(2, 2), padding='valid'))
27
28    model.add(Conv2D(base * 2, (2, 2), strides=(1, 1), padding='same'))
29    model.add(Activation('relu'))
30    model.add(MaxPooling2D(pool_size=(2, 2), padding='valid'))
31
32    model.add(Flatten())
33    model.add(Dense(base * 8,    # 全连接层尺寸
34                    activation='relu'))  # 全连接层激活函数
35    model.add(Dropout(0.5))
36    model.add(Dense(1, activation='sigmoid'))
37    model.summary()
38
```

图 3.12　激活函数设置与调整的代码

5. 全连接层尺寸

全连接层将经历数次卷积后提取到的特征信息进行汇总。由于其包含的参数量巨大，其尺寸一般略大于特征图数量。调整全连接层尺寸代码见图 3.13。

```
23    # 此处可增加/减少卷积层数
24    model.add(Conv2D(base, (3, 3), strides=(1, 1), padding='same'))
25    model.add(Activation('relu'))
26    model.add(MaxPooling2D(pool_size=(2, 2), padding='valid'))
27
28    model.add(Conv2D(base * 2, (2, 2), strides=(1, 1), padding='same'))
29    model.add(Activation('relu'))
30    model.add(MaxPooling2D(pool_size=(2, 2), padding='valid'))
31
32    model.add(Flatten())
33    model.add(Dense(base * 8,    # 全连接层尺寸
34                    activation='relu'))  # 全连接层激活函数
35    model.add(Dropout(0.5))
36    model.add(Dense(1, activation='sigmoid'))
37    model.summary()
38
39    Adam = Adam(lr=1e-5)    # 优化器及学习率设置
40    model.compile(loss='binary_crossentropy', optimizer=Adam, metrics=['accuracy'])
41    model.fit(samples, labels, batch_size=128, epochs=500, verbose=2, validation_split=0.2)
42
43
44    pres = []
```

图 3.13　调整全连接层尺寸代码

6. 批处理大小

批处理是指在数据输入时，将部分数据作为一个整体输入网络进行训练的过程。批处理过小时，由于数据对总体的代表性不足，网络无法得到最佳的训练；批处理过大时，计算使用的 CPU 或 GPU 空间可能不足且需要更大的学习率。批处理大小是一个比较重要的参数，选择后无特殊情况不要随意改动。调整批处理大小代码见图 3.14。

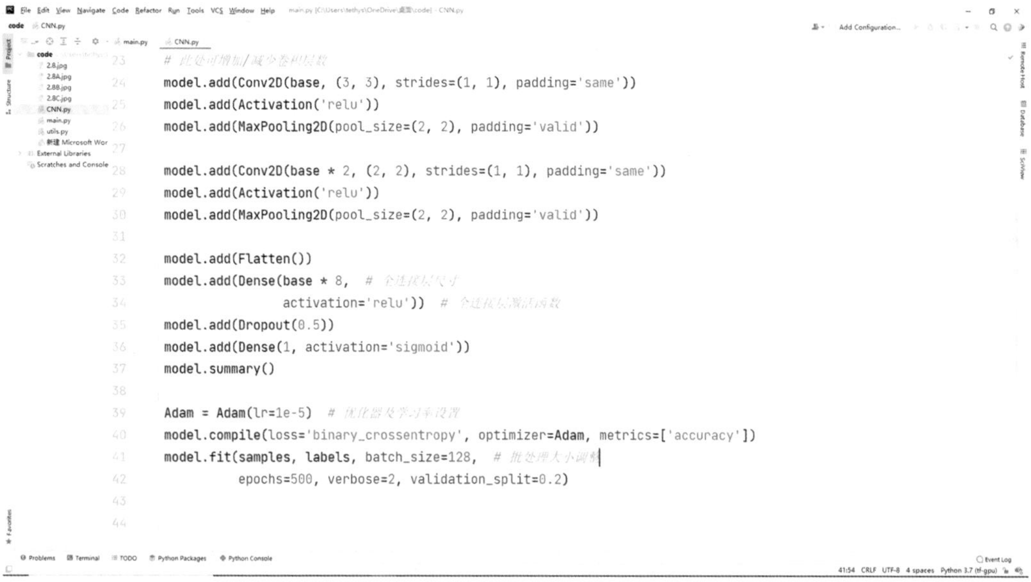

图 3.14　调整批处理大小代码

7. 网络优化器的选取

卷积神经网络的训练过程主要依据反向传播完成，简单而言，即通过对比当前输出与实际类别的差距大小（loss）对网络参数进行调整。在这个过程中，控制网络参数调整的工具称为网络优化器（optimizer）。常用的网络优化器有随机梯度下降（stochastic gradient descent，SGD）算法、动量（momentum）算法、均方根传递（root mean square propagation，RMSprop）算法及自适应矩估计（adaptive moment estimation，简称 Adam）算法等。Adam 算法结合了动量算法与均方根传递算法的优点，以其优异而稳健的性能被广泛用于神经网络的训练中。网络优化器的选取代码见图 3.15。

8. 学习率

学习率控制着网络训练中参数调整的速率，会影响网络能否收敛及训练速度等。过高的学习率可能会造成网络无法收敛；过低的学习率会造成训练过程十分漫长，且可能使算法陷入局部最优解，导致模型泛化能力不足。因此，学习率应该由高至低调整，在保证模型可以收敛的情况下尽量加快训练的效率。例如从 0.01 开始进行测试，若网络不收敛，则降低 90%直至网络正常收敛且验证集（validation set）准确率达到满意水平。学习率的调整代码见图 3.15。

图 3.15　网络优化器的选取和学习率的调整代码

9. 迭代次数

迭代次数（epochs）的选择主要取决于网络其他参数的设定，根据训练情况调整。当训练结束后，网络 loss 仍有下降趋势时，应适当增加迭代次数使网络能够完成训练；在训练过程中，网络 loss 长期保持在一个稳定的小区间，应适当减少迭代次数以提高训练效率。调整迭代次数代码见图 3.16。

图 3.16　迭代次数与训练集和验证集比例的调整代码

10. 训练集和验证集的比例

输入数据可按比例随机分为训练集和验证集，其中训练集用于对网络进行训练，而验证集用于对网络的有效性及精度进行验证。验证集的准确率与 loss 函数值可以用来对网络的训练情况进行判断。当验证集的准确率达到期望水平且 loss 函数稳定收敛于某一值时，网络训练成功；当验证集准确率过低且 loss 函数已经收敛于某一值时，网络参数仍需要调整。验证集的 loss 函数由下降转为上升则代表网络训练过拟合，需要减少迭代次数或增加训练数据。训练集与验证集的比例常常被设置为 8∶2 或 7∶3。调整训练集与验证集比例的代码见图 3.16。

3.4 基于卷积神经网络的地球化学异常识别

3.4.1 案例介绍

以闽西南铁多金属成矿带为研究区，该区域的研究程度较高，目前已开展大量的地、物、化、遥等分析工作，已探明夕卡岩型铁多金属矿床/点共 19 处。1∶20 万水系沉积物区域地球化学勘查数据包括 Ag、As、Au、Cd、Co、Cu、Fe、Hg、Ni、Pb、Sn、W、Zn 等 39 种主量元素和微量元素的含量值，采样密度为 1～2 个/km²，按照 4 km² 网格组合一个样品，共有 6682 个组合样。本节使用卷积神经网络对地球化学数据进行深度挖掘，识别和提取与铁多金属矿有关的地球化学异常，最终生成地球化学异常概率图，研究区地质简图见图 3.17。

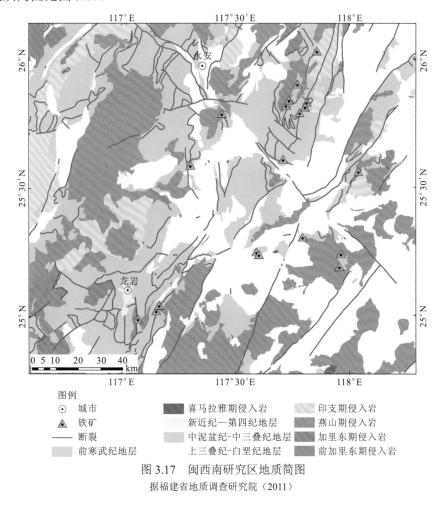

图 3.17 闽西南研究区地质简图

据福建省地质调查研究院（2011）

3.4.2 模型框架

基于卷积神经网络的地球化学异常识别流程如图 3.18 所示。

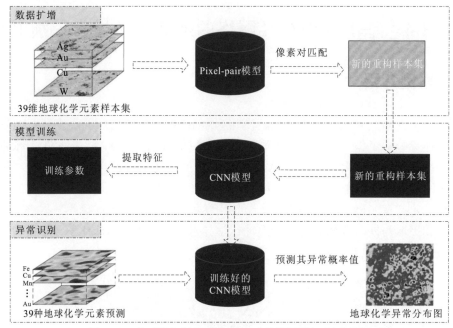

图 3.18 基于卷积神经网络的地球化学异常识别流程图

引自 Zhang 等（2021b）

（1）训练样本制作。将有矿的位置标记为异常，远离矿床的位置标记为背景，制作训练集。

（2）训练数据扩增。对原始的 39 维地球化学元素数据集进行像素对匹配，生成新的重构样本。

（3）模型训练。重构样本划分训练集和测试集并输入卷积神经网络（CNN）模型中，通过调参等过程对模型进行训练与优化。

（4）异常识别。将待预测的地球化学数据集输入训练好的卷积神经网络模型，输出得到预测的异常概率值。

构建卷积神经网络模型如图 3.19 所示。输入数据首先经过 3 个步长为 1 的 1×3 的卷积操作和 1 个步长为 2 的 1×3 的池化操作，向量的维度由 39 降至 20；再经过 2 个步长为 1 的 1×3 的卷积操作和 2 个步长为 2 的 1×3 的池化操作，将向量维度降至 1×10。重复此操作，最终将向量维度降至 1×3，再经过 1 个平均池化层和 1 个全连接层输出预测值。

3.4.3 模型训练

利用像素对匹配方法对训练样本集进行数据增强，将利用像素对匹配方法增强后的训练样本数据输入卷积神经网络模型，对模型进行训练。

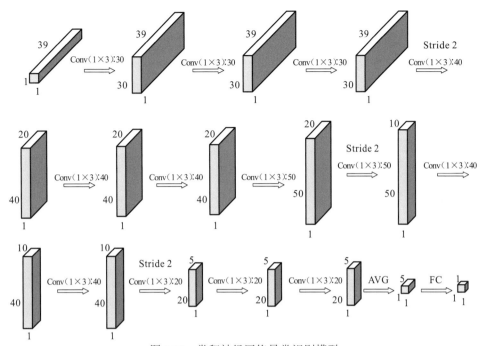

图 3.19　卷积神经网络异常识别模型

Conv：卷积；Stride：步长；引自 Zhang 等（2021b）

卷积神经网络模型需要调节的主要参数包括迭代次数（epochs）、批处理大小（batch size）、初始学习率（initial_lr）和训练数据（地球化学数据）的维度（depth）。超参数调节代码见图 3.20。

图 3.20　超参数调节代码

1. 迭代次数

迭代次数是指对输入卷积神经网络的整个训练集进行训练的次数。随着迭代次数的增加，训练的步数更多，消耗的时间也更长。如图 3.21 所示：当迭代次数为 600 时，模型只对数据训练 1 次，模型的 loss 缓慢下降，但还未开始收敛，说明模型的迭代次数欠缺；而当迭代次数为 1 000 时，意味着所有数据集被重复训练 30 次，模型的 loss 缓慢下降并逐渐收敛。

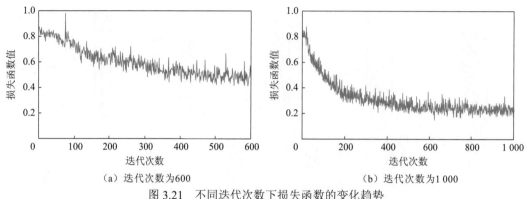

（a）迭代次数为600 　　　　　　　（b）迭代次数为1 000

图 3.21　不同迭代次数下损失函数的变化趋势

2. 批处理大小

CNN 一般将训练数据分批进行训练，然后对多个训练批次的损失求和，再最小化求和后的损失，进而对神经网络的参数进行优化更新。CNN 对批处理大小的调整十分敏感，一般设置为几十或者几百。图 3.22 中批处理大小分别设置为 256 和 16，可以看出批处理大小的选择对模型的训练影响显著。

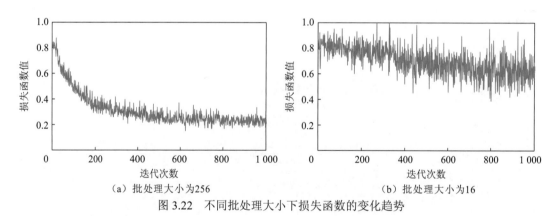

（a）批处理大小为256 　　　　　　　（b）批处理大小为16

图 3.22　不同批处理大小下损失函数的变化趋势

3. 学习率

学习率是深度学习中一个重要的超参数，如何调整学习率是训练出好模型的关键过程之一。学习率是指在优化算法中更新网络权重的幅度大小。学习率可以是恒定的、逐渐降低的、基于动量的或者是自适应的，采用何种学习率取决于所选择优化算法（如 SGD、Adam、Adagrad 等）的类型。若设置的学习率过高，则梯度下降步伐太大，可能无法达到极值点，在极值点两端剧烈振荡，导致 loss 无法收敛；若设置的学习率过低，会导致无法快速地找到合适的下降方向，随着迭代次数增加 loss 基本不变，导致收敛的时间更长。一般通过网格搜索法来寻找最合适的学习率，即通过尝试不同的学习率（如 1、0.5、0.1、0.05、0.01、0.005、0.001、0.0001、0.00001 等），观察迭代次数和 loss 的变化情况。

分别将初始学习率设置为 0.9 和 0.1，绘制损失函数 loss 的变化曲线（图 3.23）。当学习率为 0.9 时，loss 随着迭代次数（步长 = 数据集/批处理次数×迭代次数）减小，损失函数在 0.6 附近振荡，无法到达极值点；而当学习率为 0.1 时，损失函数下降的速率更慢，损失函数却能接近 0.2 并收敛。

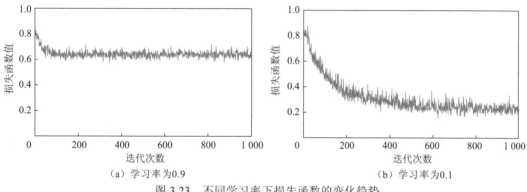

图 3.23　不同学习率下损失函数的变化趋势

4. 网络深度

网络深度即隐含层个数。网络结构越深，会在一定程度上改善网络性能，但提高了网络训练的计算成本。网络结构越浅，可能会导致欠拟合。网络深度的调节没有固定最优选择，一般在经典的网络模型（如 LeNet、AlexNet、VGGNet 等）的基础上，根据实际需求进行不断尝试。

综上，在本案例中，分别将迭代次数、批处理大小、学习率和网络深度设置为 30、16、0.1 和 16。

3.4.4　模型输出

利用训练好的模型对测试数据集进行预测，输出预测结果。使用定量评价指标（如受试者工作特征曲线）对预测结果进行评价，最后将输出的预测结果在 ArcGIS 中进行制图，得到研究区与铁多金属矿有关的地球化学异常图，如图 3.24 所示。基于卷积神经网络的地球化学异常识别代码见附录 6。基于卷积神经网络开展地球化学异常识别的详细原理与流程，可参见 Zhang 等（2021b）。

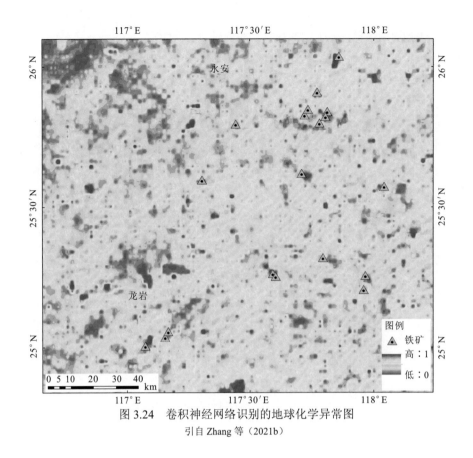

图3.24 卷积神经网络识别的地球化学异常图

引自 Zhang 等（2021b）

3.5 基于卷积神经网络的矿产资源潜力评价

3.5.1 案例介绍

本节案例同样以闽西南铁多金属成矿带为研究区，借助卷积神经网络挖掘已知矿床（点）与多源找矿信息（地质、地球化学、地球物理等）之间的空间关系，进而圈定研究区内夕卡岩型铁多金属矿找矿远景区。

根据张振杰（2015）建立的闽西南铁多金属矿综合信息定量找矿模型，铁矿的形成与燕山期花岗岩体、北东—北北东向断裂带、石炭纪—二叠纪碎屑岩地层—碳酸盐岩地层接触带有着非常紧密的联系。燕山期多期次侵入的花岗岩体为成矿作用提供了热源、大部分物源和流体来源；北东—北北东向断裂带主要为成矿流体和岩浆提供运移通道，决定着矿体的展布方向；石炭纪—二叠纪碎屑岩地层—碳酸盐岩地层及层间断裂为成矿物质提供了良好的容矿空间，是有利的成矿场所。此外，夕卡岩化蚀变和航磁异常对成矿作用的发生也具有重要的指示意义。

因此，选取燕山期花岗岩体外接触带、夕卡岩化蚀变（地球化学异常）、北东—北北东向断裂构造、石炭纪—二叠纪碎屑岩地层—碳酸盐岩地层接触带和航磁异常5个图层作为闽西南夕卡岩型铁矿预测的证据图层（图3.25）。各证据图层制作的详细步骤参见张振杰（2015）。

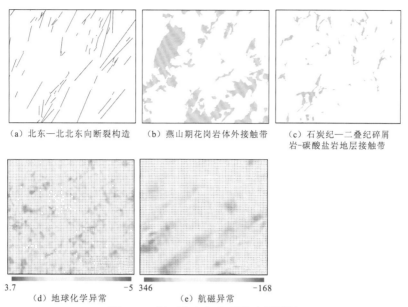

（a）北东—北北东向断裂构造　　（b）燕山期花岗岩体外接触带　　（c）石炭纪—二叠纪碎屑岩-碳酸盐岩地层接触带

（d）地球化学异常　　（e）航磁异常

图 3.25　闽西南夕卡岩型铁矿预测图

3.5.2　模型框架

本节案例搭建的卷积神经网络矿产资源潜力评价结构如图 3.26 所示。输入数据经历两层卷积、批标准化、池化过程后，再进一步进行两次卷积操作，共提取 512 个尺寸为 2×2 的特征图，将这些特征图进行全连接后，最终经过一个 sigmoid 激活函数输出其与矿床/矿点附近数据特征的相似程度，即含矿概率。

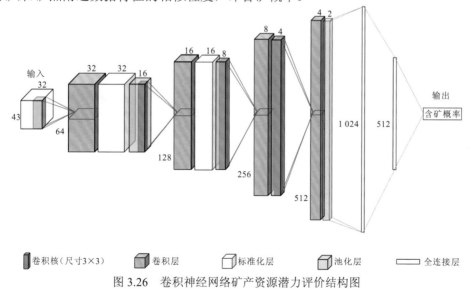

图 3.26　卷积神经网络矿产资源潜力评价结构图

3.5.3　模型输入

模型的输入为一个三维数组，尺寸为$[n, x, y, \text{channels}]$，其中 n 为训练样本总数，x、

y 为样本的长和宽，channels 为样本的通道。通道由 39 种地球化学元素、成矿有利地层缓冲区、成矿有利岩体边界缓冲区、主要控矿断裂缓冲区及航磁数据构成。用于训练的样本数据通过随机失活（random-drop）方法进行数据增强，并分别制作为正、负样本输入数据。用于矿产资源潜力评价的样本数据与训练的样本数据具有相同的大小和结构，由整个研究区的数据进行步长为 1 的滑动窗口获得，样本特征代表其中心位置与矿床/矿点的相似程度，其输入形式同样为多维数组，尺寸为[m, x, y, channels]，其中 m 为预测样本总数，x、y 为样本的长和宽，channels 为样本的通道。

3.5.4　模型训练

训练过程中训练集的准确率（acc）与损失函数（loss）和验证集的准确率（val_acc）与损失函数（val_loss）的值实时显示。在模型结束运行后，根据训练结果对参数进行优化，本案例中所有参数的调参方法与过程可见 3.4.3 小节。

3.5.5　模型输出

运行基于卷积神经网络的矿产资源潜力评价代码（附录 7），模型最后输出每个网格中心点位置与已知矿床/矿点的相似程度（即预测为有矿的概率值）。最后将输出的预测结果在 ArcGIS 中进行制图，得到研究区铁多金属矿成矿远景区，如图 3.27 所示。基于卷积神经网络开展矿产资源潜力评价的详细原理与技术流程，可参见 Li 等（2021a）。

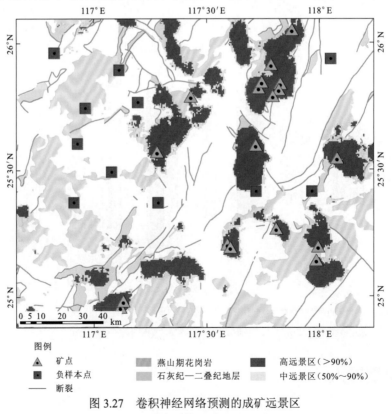

图 3.27　卷积神经网络预测的成矿远景区

引自 Li 等（2021a）

3.6 基于卷积神经网络的地质填图

3.6.1 案例介绍

本节案例以西秦岭甘肃大桥金矿区为研究区，基于水系沉积物地球化学数据和卷积神经网络模型对研究区进行地质填图。

研究区位于甘肃省陇南市西和县大桥乡，其大地构造位置位于西秦岭造山带东段，南秦岭褶皱北缘，夏河—礼县、迭部—武都及碌曲—成县三个逆冲推覆构造带交叉部位（尤关进 等，2009；徐克红，2008）。北以岷县—宕昌—两当深大断裂为界，南以舟曲—成县大断裂为界，近东西向展布，东部较窄，向西部变宽（刘月高 等，2011）。区内地层出露广泛，自志留纪至新近纪地层均有出露。三叠纪下部建造层及下部岩性段是大桥金矿的含矿层位，主要岩性为薄层灰岩、厚层灰岩、钙质板岩、粉砂质板岩（千枚状板岩）、灰岩、炭质板岩、复成分角砾岩、硅质板岩、硅质角砾岩、硅质岩等，其中硅质角砾岩、硅质岩为区内主要赋矿岩性（张凤霞 等，2015）。根据岩性组合特征将研究区大致划分为 7 类岩性单元，分别为黄家沟组岩性段（灰岩）、甘肃群岩性段（砂砾岩）、岷河组岩性段（灰岩）、滑石关组岩性段（板岩）、卓乌阔组岩性段（碎屑岩）、大河坝组岩性段（砂岩）和第四纪风成黄土层。其中，新近系甘肃群广泛分布于研究区中部和东部，与下伏下—中石炭系岷河组和中三叠统滑石关组均呈角度不整合接触，地层倾角较平缓，主要岩性为砖红色砂砾岩（王怀涛 等，2021）。区内岩浆岩不发育，仅发育少量的石英闪长岩和中酸性岩脉。在保证岩性类别平衡的前提下，将研究区按照约 7∶1（面积比）分为训练区（右）和测试区（左）（图 3.28）。

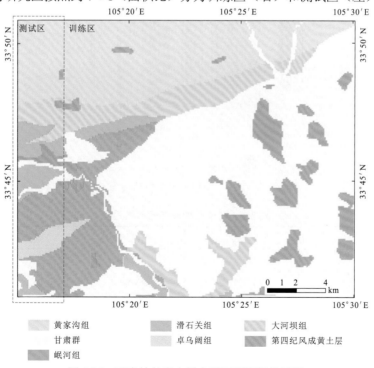

图 3.28 西秦岭甘肃大桥金矿区研究区地质图
据青海省地质调查院修编

3.6.2 模型框架

卷积神经网络框架设计基于经典的 AlexNet 构建，如图 3.29 所示。通过开展不同的对比实验，构建适用于研究区岩性分类的卷积神经网络模型（图 3.30）。输入数据尺寸为 9×9×15（长×宽×通道数），在经历三层卷积层、两层池化层后，再连接全连接层，最终经过 softmax 激活函数输出 7 类岩性单元的分类结果，相关网络结构及部分参数设置可见表 3.1。

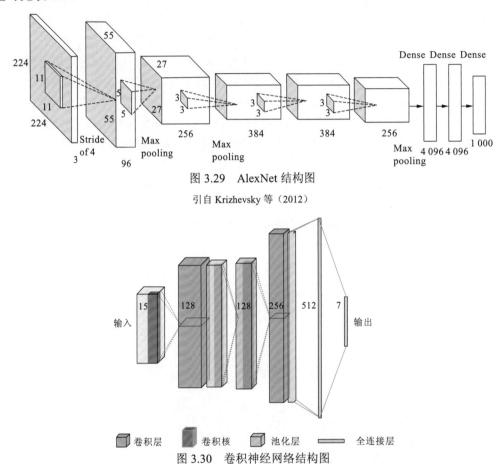

图 3.29　AlexNet 结构图

引自 Krizhevsky 等（2012）

图 3.30　卷积神经网络结构图

表 3.1　网络结构及部分参数设置

层类别	输出尺寸	层类别	输出尺寸
Conv2D_1	(None, 9, 9, 128)	Flatten_1	(None, 1 024)
Max_Pooling2D_1	(None, 4, 4, 128)	Dense_1	(None, 521)
Conv2D_2	(None, 4, 4, 128)	Dense_2	(None, 1 024)
Conv2D_3	(None, 4, 4, 256)	Dense_3	(None, 7)
Max_Pooling2D_2	(None, 2, 2, 256)		

3.6.3 模型输入

模型的输入为一个三维数组，其通道由 15 种地球化学元素构成。用于训练的样本数据通过基于滑动窗口的样本制作方法得到，输入形式为多维数组 ndarray，尺寸为 $[n, x, y, channels]$，其中 n 为训练样本总数，x、y 为样本的长和宽，channels 为样本的通道。

用于预测的样本数据与训练的样本数据具有相同的大小和结构，采用滑动窗口技术对预测区的数据以步长为 1 的窗口进行滑动选取。

3.6.4 模型训练

在训练过程中，模型的评价结果通过训练集与验证集的准确率和损失函数的曲线体现，基于每次训练结果可对网络参数进行调整与优化。本案例相关参数调参过程如下。

1. 模型优化器

选择一种自适应优化算法——Adam 优化器作为默认设置，它是近年来常用的深度学习模型优化器，目的是加速学习过程。关于优化器的选择有很多种，可根据自身需求自行选择。

2. 学习率

学习率设置过低，网络收敛过慢，易陷入局部最优解；学习率设置过高，损失函数梯度下降过快，易出现振荡现象。学习率的选择需结合实际情况对比判断。如图 3.31 所示，分别将学习率设置为 0.001 和 0.0001，对比损失函数变化曲线发现后者下降梯度偏大，验证集损失函数曲线较为振荡，而后者明显表现更优。

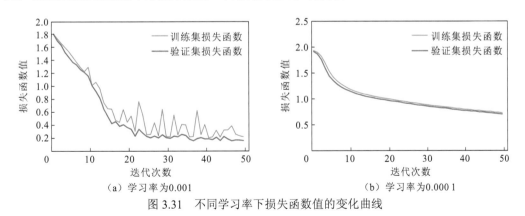

(a) 学习率为0.001　　　　　　(b) 学习率为0.0001

图 3.31　不同学习率下损失函数值的变化曲线

3. 迭代次数

迭代次数直接影响网络模型训练效果。迭代次数过少，导致模型训练不足，存在欠拟合问题；迭代次数过多，导致网络过度训练，泛化能力差。实际选择时通常根据网络是否收敛来判断，即训练集结果与实际标签值的交叉熵函数稳定在某一值。本案例对比迭代次数分别设置为 200 和 400 时，损失函数的收敛情况（图 3.32）。在迭代 400 次时，损失函数曲线的收敛情况更稳定平缓，因此选择迭代次数为 400。

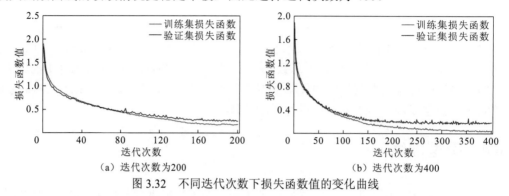

图 3.32 不同迭代次数下损失函数值的变化曲线

4. 激活函数

相较于饱和非线性函数，不饱和非线性函数能够解决梯度爆炸或梯度消失问题，同时也能够加快收敛速度，因此每个神经元的激活函数采用 ReLU 函数，输出层则选择应用于多分类问题的 softmax 函数。

5. 网络深度

网络深度的设置即隐含层个数，具体结构设计需要根据实际需求进行不断尝试。在保证其他参数相同的前提下，设置 4 种不同的网络结构对预测区进行测试，其中 C 和 P 分别代表卷积层和池化层。通过对比预测准确率（表 3.2），选择表现最佳的结构作为卷积神经网络的最终结构。

表 3.2 不同网络结构的预测准确率

网络结构	准确率
C1 + P1 + C2 + P2	0.74
C1C2 + P1 + C3 + P2	0.79
C1C2 + P1 + C3C4 + P2	0.80
C1 + P1 + C2C3 + P2	0.82

6. 卷积及池化尺寸

配置卷积层或池化层主要是对卷积核的尺寸、数量等参数进行设置。在保证卷积核的大小不超出输入数据尺寸和不限制网络结构的前提下，将卷积核大小设置为 3×3，池化设置为 2×2。因此在优化过程中主要对卷积核的数量进行优化。分别将卷积核数量设置为 128、128 和 256，通过反复调试，最终确定将前两层卷积核数量设置为 128，最后一层设置为 256，图 3.33 为优化过程中最优模型的训练结果。

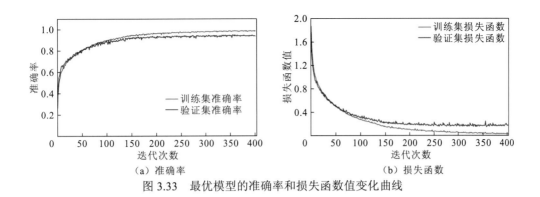

图 3.33　最优模型的准确率和损失函数值变化曲线

3.6.5　模型输出

运行基于卷积神经网络和勘查地球化学数据的地质填图代码（附录 8），将输出的预测类别在 ArcGIS 中进行制图，获得研究区填图结果（图 3.34）。基于卷积神经网络进行地质填图的详细原理与技术流程，可参见 Wang 等（2022）。

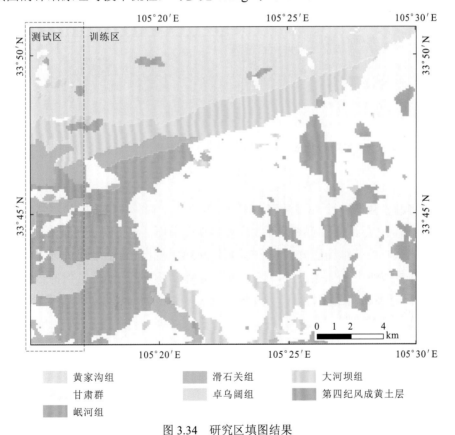

图 3.34　研究区填图结果

3.7 基于全卷积神经网络的岩性填图

3.7.1 案例介绍

本案例以西秦岭甘肃大桥金矿区为研究区,基于哨兵 2 号(Sentinel-2A)遥感影像,利用全卷积网络(FCN)开展研究区岩性分类与地质填图工作。研究区介绍见 3.6.1 小节。

3.7.2 模型框架

FCN 应用于遥感影像岩性分类的原理主要是它能识别与辨别传感器对不同岩体光谱信号值的差异。本案例使用的 FCN 模型基于 VGGNet 框架设计。基于 FCN 的遥感影像岩性识别框架(FCN-8s)见图 3.35,主要包含卷积层、池化层、上采样层和特征传递等 19 个隐含层。

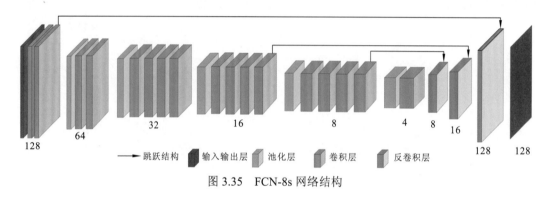

图 3.35　FCN-8s 网络结构

首先,将输入数据进行 16 次卷积、5 次池化和激活操作,得到的最终特征图层的尺寸会缩小 32 倍。之后,对特征图进行 3 次反卷积上采样,使其恢复到原始输入尺寸。然后,将需要上采样的特征图层分别与经过 4 次和 3 次池化的特征图层进行 2 倍上采样和一次 8 倍上采样以恢复到原始尺寸,使其与原始输入图像的空间信息保持一致。最后,利用 argmax 激活函数将上采样到与原始输入尺寸相同的特征图层进行逐像素分类,实现基于遥感影像的岩性填图。

3.7.3 模型输入

本案例将 Sentinel-2A 的 10 个波段信息作为 FCN 模型的输入,经过预处理得到尺寸为 1 792×1 792 的多波段遥感影像数据,每个像元包含近红外、可见光、短波红外等多种光谱信息。数据结构为 $x×y×channels$(长×宽×通道数)(图 3.36)。

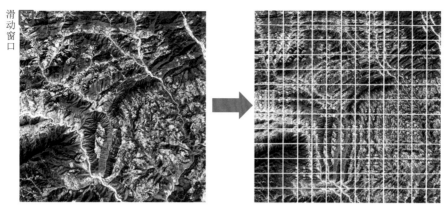

（a）原始遥感影像的432波段合成　　　　　　　（b）研究区分区示意图

图 3.36　研究区遥感影像及分区

首先将原始影像利用滑动窗口技术裁剪成尺寸为 256×256 的子影像，并将其随机分成两个部分，70%为训练集，其余为验证集。然后将每幅子影像利用滑动窗口再次裁剪成 100 幅尺寸更小（128×128）的栅格影像。裁剪后的训练数据如图 3.37 所示。

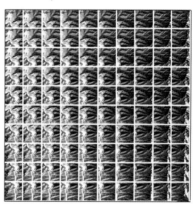

（a）分区后的训练影像　　　　　　　　　（b）滑动窗口裁剪后数据

图 3.37　训练样本集扩充

为防止 FCN 模型过拟合，需要通过旋转、镜像等操作对样本进行扩增。每次可以向全卷积神经网络输入与批处理大小相同的多幅栅格数据。最终输入数据为多维数组，尺寸为[None，x，y，channels]，其中 x、y 和 channels 分别设置为 128、128 和 10。

3.7.4　模型训练

参数优化过程如 3.4.3 小节所述，学习率、最大迭代次数和图像尺寸分别设置为 0.000 1、60 000 和 128。

3.7.5　模型输出

FCN 能对输入图像的每个像元进行预测，从而得到与输入尺寸相同的预测图。运行基于全卷积网络的岩性地质填图代码（附录9），将输出的预测类别在 ArcGIS 中进行制图，获得研究区填图结果（图3.38）。

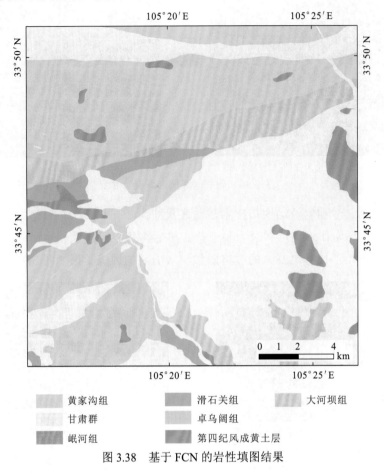

图 3.38　基于 FCN 的岩性填图结果

第 4 章 循环神经网络

循环神经网络（recurrent neural networks，RNN）具有记忆性，在学习序列数据的非线性特征时有一定优势，近年来广泛应用于遥感、地质灾害等分类与预测领域。本章将介绍循环神经网络的基本原理及重要参数，重点介绍基于循环神经网络的矿产资源潜力评价过程中数据输入、模型构建、参数选取及结果输出的详细实现过程。

4.1 基 本 原 理

循环神经网络是一类用于处理序列数据（如时间序列和语句序列）的人工神经网络，即网络会对前面的信息进行记忆并应用于后续输出的计算。简单循环神经网络（又称Elman 网络）的特点在于其隐含层具有循环结构，一个序列当前的输出受前面时间步输出的影响，使隐含层的信息能够随序列数据的输入而循环流动至输出层，如图 4.1 所示。在处理序列数据时，首先，输入层使用矩阵 U 将序列数据的单个输入数据 x 映射为输入向量并进一步输入至隐含层 h；然后，隐含层使用公共矩阵 W 将上一个时间步的输入向量转化为流动信息，并加上当前时间步的输入向量，达到信息传递的目的；最后，输出层使用矩阵 V 将隐含层的向量信息转化为输出结果 y。

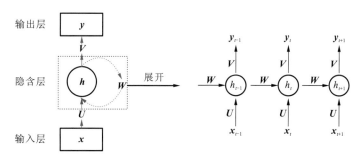

图 4.1 简单循环神经网络结构图
引自 Elman（1990）

循环神经网络的训练和参数优化主要采用随时间反向传播（back propagation through time，BPTT）（Werbos，1990）及其衍生算法。BPTT 将循环神经网络按照序列"打开"，通过序列反向传播误差，并基于梯度下降调整矩阵参数，降低总体损失。但在反向传播误差的过程中，梯度值会因随序列连乘而指数级变大或缩小，最终导致梯度消失或者梯度爆炸（Bengio et al.，1994）。这个现象会造成序列信息的丢失，导致循环神经网络无法学习到较长序列的数据特征。通过对简单循环神经网络的隐含层结构进行改造，如加入"门"结构来有选择地记忆和遗忘一些信息，能有效解决长序列训练过程中的梯度消失和梯度爆炸问题。典型的示例有长短期记忆（long short-term memory，LSTM）网络和门控循环单元（gated recurrent unit，GRU）。

"门"是一种让信息选择性通过的方法，LSTM 在网络中加入了遗忘门 f_t、输入门 o_t 和输出门 i_t 三个"门"结构，并通过 sigmoid 激活函数 σ 来控制"门"中信息的传递，如图 4.2（a）所示。遗忘门的作用是对上一个节点传入的信息 x_t 进行选择性忘记；输入门的作用是对当前节点的信息进行选择性保留；输出门决定需要输出多少信息。LSTM 允许网络维持较长时间的储存信息，从而具有传递长期依赖的能力。然而，LSTM 的"门"较为复杂，相比简单循环神经网络，LSTM 需要训练的参数大约增加了三倍（Mikolov et al.，2014），训练难度较大。Jozefowicz 等（2015）的研究表明 LSTM 的输出门的重要性相对较小。在此基础上，Chung 等（2014）提出了门控循环单元（GRU），它将遗忘门和输入门合并成一个更新门，并合并了数据单元状态和隐藏状态，使"门"结构更为简洁，大大减少了训练参数，且模型在多个数据集上的表现不弱于 LSTM，更适合处理小型数据集，在处理长序列问题中受到广泛关注（Jozefowicz et al.，2015；Chung et al.，2014）。GRU 是循环神经网络中的一种门控机制，它包含一个重置门 σ_r 和一个更新门 σ_u，如图 4.2（b）所示，可以用来控制长序列的信息并缓解循环神经网络训练时易产生的梯度消失和梯度爆炸问题。其中，重置门主要决定过去的信息需要被遗忘的程度；而更新门则决定将模型上一时间步信息和当前时间步总的信息继续传递的程度。

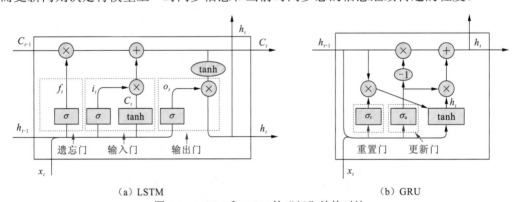

（a）LSTM　　　　　　　　　（b）GRU

图 4.2　LSTM 和 GRU 的"门"结构对比

h 表示隐藏状态；C 表示细胞状态；$\oplus$ 表示矩阵相加；$\otimes$ 表示点乘；

（a）引自 Hochreiter 等（1997）；（b）引自 Chung 等（2014）

使用循环神经网络进行矿产资源潜力评价建立在将不同证据图层作为序列数据的基础上。从地质学的角度，与成矿密切相关的不同证据图层在成因上具有一定的相关性：如断裂往往是岩浆和成矿流体的运移通道，与成矿岩体及成矿元素富集具有空间上的关联；成矿岩体的元素异常富集导致其物理性质（密度等）发生变化，又会产生地球物理异常。基于证据图层之间的相关性，使用循环神经网络对证据图层和矿点/非矿点进行空间关系建模具有可行性，因此，本章将搭建基于 GRU 的循环神经网络模型进行矿产资源潜力评价。

4.2 基于循环神经网络的矿产资源潜力评价

4.2.1 案例介绍

本案例以菲律宾碧瑶地区金多金属找矿远景区圈定为例。研究区位于菲律宾碧瑶市，吕宋岛西部，菲律宾首都马尼拉北部。碧瑶周围金、银、铜矿含量丰富，其中金矿以浅成热液脉型为主（Cooke et al.，2001；Mitchell et al.，1990；Fernandez et al.，1979）。研究区出露 6 种岩性单元：白垩纪—始新世 Pugo 单元，晚始新世—早中新世 Zigzag 单元（Mitchell et al.，1990；Balce et al.，1980），中中新世 Kennon 单元（Balce et al.，1980），晚中新世 Klondyke 单元（Mitchell et al.，1990；Wolfe，1981；Balce et al.，1980），晚渐新世—中中新世 Agno 深成基岩体（Wolfe，1981）及晚中新世—更新世斑岩侵入体（图 4.3）。

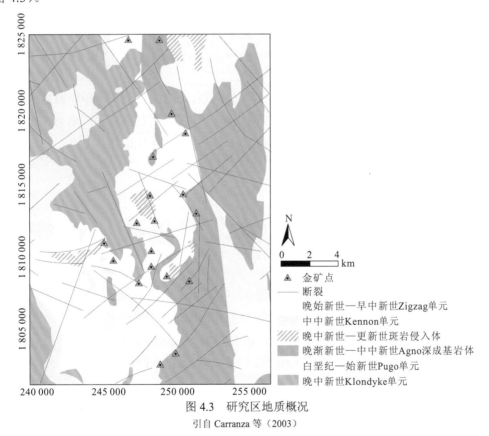

图 4.3 研究区地质概况

引自 Carranza 等（2003）

与碧瑶研究区金矿化密切相关的 4 个地质因素为北东向断裂、北西向断裂、Agno 深成基岩体和斑岩侵入体（Waters et al.，2011；Cooke et al.，1996；Mitchell et al.，1991；Wolfe，1988）。其中，北东向断裂和北西向断裂是主要的容矿构造（Mitchell et al.，1991），这两类断裂大致沿 Agno 深成基岩体边缘分布，后者充当了主要的矿源层（Carranza et al.，2003；Wolfe，1988）；晚中新世—更新世斑岩侵入体的形成可能为金矿成矿提供了流体载体（Waters et al.，2011；Cooke et al.，1996；Mitchell et al.，1991）。因此，按照 Carranza

等（2003）的思路提取了北东向断裂、北西向断裂、Agno 深成基岩体边缘带和斑岩侵入体接触带这 4 个与成矿相关的线性地质要素特征。

4.2.2　模型框架

基于 GRU 的循环神经网络模型结构如图 4.4 所示。

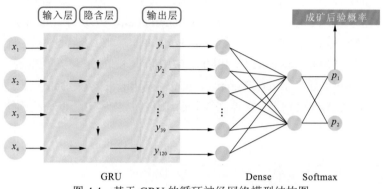

图 4.4　基于 GRU 的循环神经网络模型结构图

将研究区 4 个图层信息依次输入 GRU 的输入层，GRU 对这 4 个图层数据的序列特征进行学习后，将其映射为 1 个 120 维度的向量，经过 1 个 Dense 层压缩为 1 个二维向量，最后通过 Softmax 函数将二维向量转化为二分类器的概率分布值。

4.2.3　模型输入

输入数据预处理包括预测图层制作及赋值，以及训练样本集扩增。

1. 预测图层制作及赋值

北东向断裂（NE_fault）和北西向断裂（NW_fault）为线属性图层，无须处理。针对 Agno 深成基岩体（L.Oligocene-M.Miocene_Agno_Batholith）和斑岩侵入体（L.Miocene-Pleistocene_Intrusives）两个面属性图层，需要借助 ArcGIS 软件对其边界线进行提取（【ArcToolbox】->【Data Management Tools】->【Features】->【Polygon To Line】），输出对应的两个线属性文件（图 4.5）。

对北东向断裂、北西向断裂、Agno 深成基岩体边缘带和斑岩侵入体接触带 4 种线性地质要素（NE_fault、NW_fault、Agno_Batholith_line 和 Intrusive_contact）进行缓冲区分析（【ArcToolbox】->【Analysis Tools】->【Proximity】->【Multiple Ring Buffer】）（图 4.6）。遵循 Carranza 等（2003）提出的地质要素的缓冲区距离和分类赋值经验法则，缓冲区的赋值随地质要素距离的增加而逐渐增加，因此，4 个线性地质要素的不同缓冲距离及类别见表 4.1。

图 4.5　多边形边界线提取操作

图 4.6　多环缓冲区分析

表 4.1　4 个线性地质要素缓冲区分析表

北东向断裂		北西向断裂		Agno 深成基岩体边缘带		斑岩侵入体接触带	
距离/m	类别	距离/m	类别	距离/m	类别	距离/m	类别
<200	1	<150	1	<400	1	<700	1
200~425	2	150~375	2	400~1 050	2	700~1 450	2
425~750	3	375~675	3	1 050~2 450	3	1 450~2 150	3
750~1 200	4	675~1 075	4	2 450~6 000	4	2 150~2 950	4
>1 200	5	>1 075	5	>6 000	5	2 950~3 750	5
						3 750~4 525	6
						4 525~5 450	7
						5 450~6 700	8
						>6 700	9

以北东向断裂构造（NE_fault 图层）为例，使用 ArcGIS 软件建立 4 环缓冲区，距离阈值分别为 200 m、425 m、750 m、1 200 m，北东向断裂的多环缓冲结果见图 4.7。

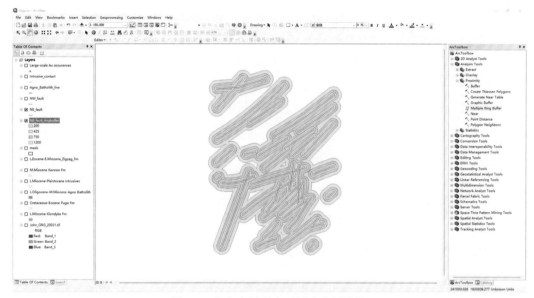

图 4.7　北东向断裂多环缓冲分析结果

在对 4 种线性地质要素进行缓冲区分析后，需要借助 ArcGIS 软件（【ArcToolbox】->【Conversion Tools】->【To Raster】->【Polygon to Raster】）将其转化为栅格格式并赋值，赋值类别见表 4.1，栅格大小（Cellsize）选择 100（图 4.8）。

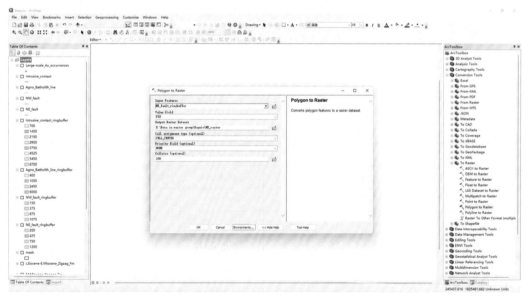

图 4.8　地质要素转栅格图层设置

值得注意的是，地质要素转栅格图层需约束在研究区范围以内（【Polygon to Raster】->【Environments】->【Processing Extent】->【Same as layer mask】）（图 4.9）。栅格转换后的结果见图 4.10。

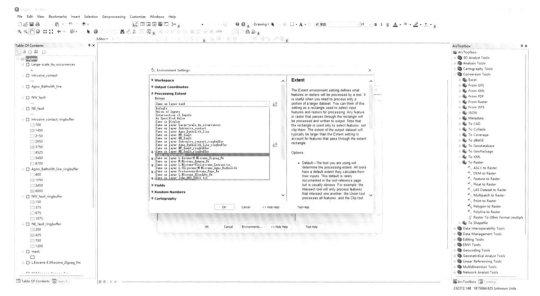

图 4.9　栅格转换时将区域限定在研究区内

图 4.10　北东向断裂转栅格结果

　　完成证据图层的制作后，需要进行正样本（矿点）和负样本（非矿点）的制作。一般而言，正样本选择有矿（点）区域。Carranza 等（2008）提出了负样本（非矿点）选择的 4 个原则：①非矿点的位置应随机分布；②非矿点应距离已知矿点足够远；③非矿点在所有证据图层上都有对应值；④非矿点和矿点数目相等。基于此，本案例中非矿点随机选择距所有已知矿点大于 600 m 的点，在 ArcGIS 软件中完成（【ArcToolbox】->【Data Management Tools】->【Sampling】->【Create Random Points】）（图 4.11）。

　　同样地，正负样本图层需要转成栅格格式（.tif）并赋值，在 ArcGIS 软件中完成（【ArcToolbox】->【Conversion Tools】->【To Raster】->【Point To Raster】）（图 4.12）。正样本（点）赋值为 1，负样本（点）赋值为 0。

图 4.11　非矿点的选择

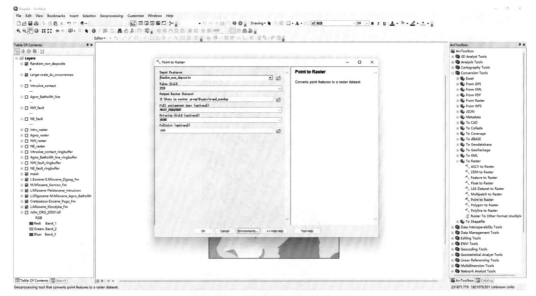

图 4.12　点属性转为栅格数据

2. 训练样本集扩增

以任一矿点/非矿点为中心取 5×5 的窗口，对原始数据进行 25 倍扩充，制作训练样本集和测试样本集（图 4.13）。数据增强的原则是增强的区域之间不互相重叠，并且增强后的样本总面积应不大于研究区总面积的 1%。

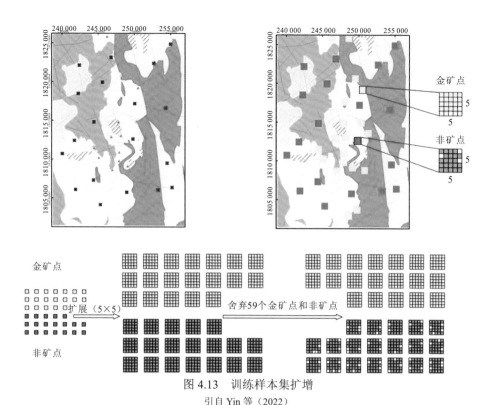

图 4.13 训练样本集扩增

引自 Yin 等（2022）

4.2.4 模型训练

超参数的选择对模型的优化训练至关重要，合适的超参数组合能够提高模型的性能及效率。本案例基于 GRU 的循环神经网络模型需要优化的超参数包括 GRU 隐含层节点（units）数量、激活函数（activation）、优化器（optimizer）、批处理大小（batch size）和迭代次数（epochs）。循环神经网络调参代码见附录 10（hyperparameters_tuning_for_gru.py），代码预先设置了针对 GRU 隐含层节点（units/hidden_units）、激活函数（activation/activations）、模型优化器（optimizer/optimizers）、批处理大小（batch/batch size）及迭代次数（epoch/epochs）5 个超参数的调优区间和数值，评价标准为模型对测试样本的预测准确度。例如针对批处理大小（batch size）预选择为 1、5、10、15、20 这 5 个数值进行调优。

使用网格搜索法对参数进行优化。模型优化器（optimizers）的调参区间预设置为【SGD，Adagrad，Adadelta，Adam】，迭代次数（epochs）的调参区间预设置为【400，600，800，1000，1200】，激活函数（activations）的调参区间预设置为【relu，tanh，sigmoid，linear】，批处理大小（batch_size）的调参区间预设置为【1，5，10，15，20】，隐含层节点（units）的调参区间预设置为【40，60，80，100，120】。在使用交叉验证进行调参时，由于多个参数组合的情况较多，可以在固定其他超参数值的前提下，先对其中某一个超参数进行调参。依次类推，选出所有超参数较为合理的值，再根据合理值按照一定的步长外推，最后对所有超参数进行交叉验证调参，得到最优的参数组合。一般情况下，模型的准确度达到 0.9 以上代表其性能优越。

1. 批处理大小和迭代次数

运行程序后会生成预测结果和模型的整体性能评价指标，包括受试者工作特征曲线下方的面积（area under curve，AUC）、Kappa、准确率（Accuracy）、召回率（Recall）、精确度（Precision）和 F1-score 等，用以绘制不同超参数设置下的模型表现。

图 4.14 显示批处理大小和模型的表现呈负相关关系，因此批处理大小设置为 1。图 4.15 显示隐含层节点（units）数目为 120 时模型的表现最好，隐含层节点数目的进一步增加对模型表现的影响越来越小，隐含层节点数目从 100 增加到 120 时，模型基本平稳不变。

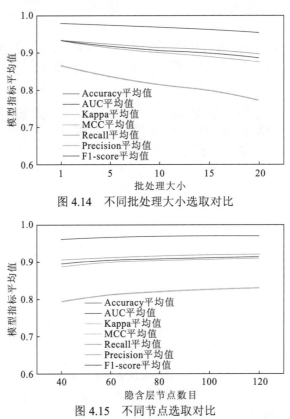

图 4.14　不同批处理大小选取对比

图 4.15　不同节点选取对比

图 4.16 显示随着迭代次数（epochs）增加，模型表现越好，但是在迭代次数达到 1000 时趋于稳定；三个模型评价指标[马斯修相关系数（Mattews correlation coefficient，MCC）、Precision 和 Kappa]在迭代次数从 1000 增加到 1200 时有所下降，只有 Recall 值在此过程中升高。因此迭代次数设置为 1000 更为合理。

2. 模型优化器

将迭代次数（epochs）设置为 400、激活函数（activations）设置为 ReLU、批处理大小设置为 1、隐含层节点（units）设置为 80，分别对模型优化器（optimizers）【SGD，Adagrad，Adadelta，Adam】进行调参。发现模型优化器（optimizers）为 Adam 时，7 个衡量模型性能的指标最好（图 4.17），因此，确定 Adam 为最适合的模型优化器。

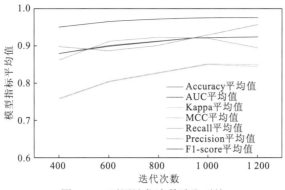

图 4.16　不同迭代次数选取对比

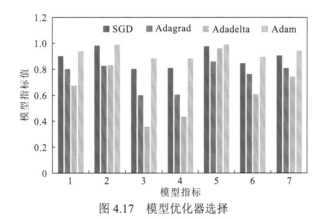

图 4.17　模型优化器选择

3. 激活函数

将模型优化器（optimizers）设置为 Adam、迭代次数（epochs）设置为 400、批处理大小（batch_size）设置为 10、隐含层节点（units）设置为 80，对激活函数（activations）【relu，tanh，sigmoid，linear】进行调参。发现激活函数（activations）为 sigmoid 时，7个衡量模型性能的指标最好（图 4.18），因此，确定 sigmoid 为最适合的激活函数。可以选取不同的超参数组合对激活函数进行多次调参，折中选择在不同参数组合中综合性能较为优秀的超参数设置。

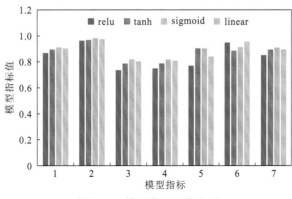

图 4.18　模型激活函数选择

综上，本案例基于门控循环单元（GRU）的矿产资源潜力评价模型超参数设置：模型优化器（optimizers）为 Adam，激活函数（activations）为 sigmoid；批处理大小、迭代次数（epochs）和隐含层节点（units）数目分别设置为 1、1 000 和 120。参数的选择并不是固定的，只要能达到理想的效果，不同的参数组合均可。

4.2.5　模型输出

输入训练样本及标签，运行基于循环神经网络的矿产资源潜力评价代码（附录 11），输出最优参数组合下的预测结果，将输出的预测结果在 ArcGIS 中进行制图，得到研究区金矿成矿远景区预测结果（图 4.19）。金矿点基本落在预测的高值区，说明预测效果良好。基于循环神经网络的矿产资源潜力评价的详细原理与技术流程，可参见 Yin 等（2022）。

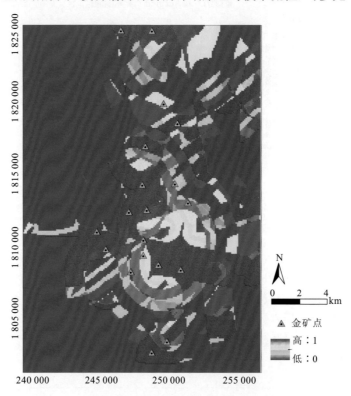

图 4.19　研究区金矿成矿远景区预测结果

引自 Yin 等（2022）

第5章　深度自编码网络

深度自编码网络（deep autoencoder network）属于非监督的深度学习算法，是第一种应用于地球化学异常识别及矿产资源潜力评价的深度学习算法。本章将简要介绍深度自编码网络的基本原理，重点介绍基于深度自编码网络的地球化学异常识别与矿产资源潜力评价过程中模型输入、模型构建、模型输出等具体实现过程与步骤。

5.1　基　本　原　理

深度自编码网络由 Hinton 等（2006b）提出，是神经网络的一种新模型，由多个受限玻尔兹曼机（restricted Boltzmann machines，RBM）堆叠对输入数据进行编码和解码，从而提取数据的特征。RBM 是由 Hinton 等（1986）提出的一种生成式随机神经网络。RBM 的结构可以看作一个无向图，如图 5.1 所示，其中 v 代表可见层（输入层），h 代表隐含层（特征提取层），W 代表两层之间的连接权重。

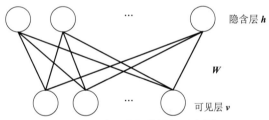

图 5.1　受限玻尔兹曼机示意图

Hinton（2002）提出了一种高效的学习算法——对比散列（contrastive divergence，CD）算法，其基本思想如图 5.2 所示。对比散列算法首先根据数据 v 得到 h 的状态，然后通过 h 来重构可见层向量 v，最后根据 v 来生成新的隐含层向量 h。

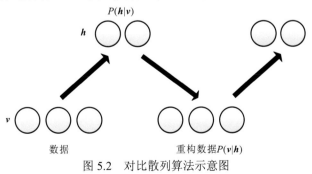

图 5.2　对比散列算法示意图

P 为条件概率分布

深度自编码网络具有对称结构，该结构期望输入数据和输出数据之间的差异最小。输出数据是对输入数据的评估，两者的差异被定义为重构误差，可用于异常检测。RBM在建模二值图像数据和提取图像特征等方面表现出优越的性能，但建模连续数据的效果却不尽如人意（Chen et al., 2003）。基于此，利用连续受限玻尔兹曼机（continuous restricted Boltzmann machine，CRBM）取代 RBM 来构建深度自编码网络能够解决上述连续数据建模问题。如图 5.3 所示，深度自编码网络由编码和解码两部分组成，两部分中间公共的连接层被定义为码字层。

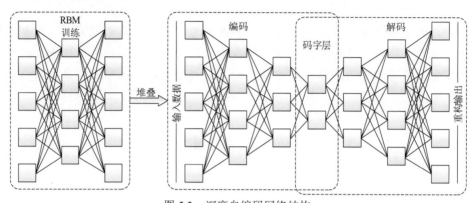

图 5.3　深度自编码网络结构
引自 Xiong 等（2016）、Hinton 等（2006b）

深度自编码网络是一个对称的结构，输出与输入的误差被定义为重构误差，重构误差越大说明输入数据为异常的可能性越大，重构误差 E 可以表示为

$$E = \sqrt{\sum_{i=1}^{n}(O_i - I_i)^2} \tag{5.1}$$

式中：O 为输出数据；I 为输入数据；i 为单元格编号；n 为输出层的大小。

深度自编码网络通过三个步骤来降低重构误差。首先，在预训练阶段，对 CRBM 逐一进行训练；然后，在展开阶段，所有经过训练的 CRBM 堆叠起来形成一个深度自编码网络；最后，引入反向传播算法来调整网络中所有的参数，这个步骤称为微调。

5.2　基于深度自编码网络的地球化学异常识别

5.2.1　案例介绍

本节案例以闽西南铁多金属成矿带为研究区，选择与铁多金属矿化相关的元素组合 Fe_2O_3、Cu、Mn、Pb、Zn 作为深度自编码网络的输入，以提取闽西南地区的多元地球化学异常。

5.2.2　模型框架

重构是指从经过变换的数据中恢复原始数据。深度自编码网络用于多元地球化学异常识别的原理在于数据重构误差的差异，即对小样本数据（如地球化学异常）的重构能力较弱，会产生较大的重构误差；对大样本数据（如地球化学背景）的重构能力强，会产生较小的重构误差。而深度自编码训练的目的是使重构误差（模型输出值与原始输入值之间的均方误差）最小化。

基于深度自编码网络的地球化学异常识别框架流程图见图 5.4。框架图底部为模型输入数据（地球化学元素）示意图，每条原始输入数据经过深度自编码网络的编码与解码过程可得到重构数据，最终输出原始数据与重构数据之间的差，称为重构误差。根据上述原理可实现对多元地球化学异常的识别与提取。

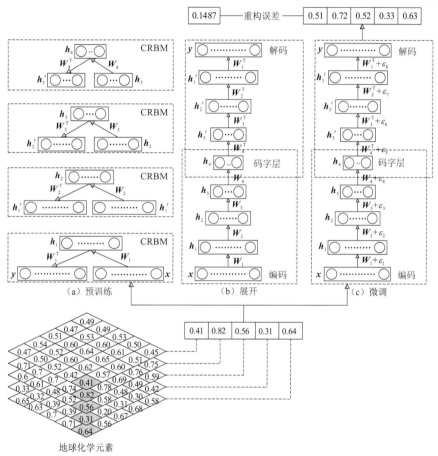

图 5.4　基于深度自编码网络的地球化学异常识别框架流程图

引自 Xiong 等（2016）

5.2.3　模型输入

深度自编码网络模型的数据输入格式如图 5.5 所示。左边为原始地球化学数据采样点分布图，每个采样点测试了 39 种地球化学元素，此处选取与成矿相关的 5 种元素（Fe_2O_3、Cu、Mn、Pb 和 Zn）作为深度自编码网络的输入，数据组织结构为6682（行）×5（列）的特征向量。每次可以向深度自编码网络中逐行输入一条数据或者批次输入多条数据。

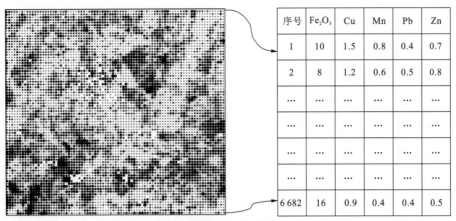

序号	Fe$_2$O$_3$	Cu	Mn	Pb	Zn
1	10	1.5	0.8	0.4	0.7
2	8	1.2	0.6	0.5	0.8
...	...	...	...	...	...
...	...	...	...	...	...
...	...	...	...	...	...
...	...	...	...	...	...
6 682	16	0.9	0.4	0.4	0.5

图 5.5 深度自编码网络模型的数据输入格式

5.2.4 模型训练

选择合适的网络结构对自编码网络的性能至关重要。为了获得最佳的网络结构，需要对参数进行优化，包括学习率、迭代次数和每个隐含层的大小等。在对网络进行训练之前，对连续受限玻尔兹曼机及深度自编码网络的参数进行初始化，如权重 $w_{ij} = \psi(0, 0.01)$，偏置 $b_i = \psi(0, 0.01)$，激活函数系数 $a_i = 1$，其中 $\psi(\mu, \sigma)$ 表示从高斯分布中提取的随机样本。此外，在学习开始时，随机初始化参数值可能会导致梯度过大，需要设置较低的动量值。然而，一旦重构误差稳定下来，动量值就应该增加。根据 Hinton（2012）的建议，动量值初始化为 0.5，当重构误差稳定时，动量值增加至 0.9。

1. 学习率

预训练和微调阶段的学习率对训练模型起着非常重要的作用，较大的学习率可能会导致重构误差显著变化和权重值的显著增加。当学习率足够高时，训练模型容易产生过拟合现象；当学习率降低时，重构误差估计的精确性也会受到影响。基于此，采用网格搜索法对 CRBM 预训练和微调阶段的学习率进行调参，获得不同学习率（0.1、0.3、0.5、0.7、0.9 和 0.8、1.0、1.2、1.4）设置条件下重构误差的变化趋势（图 5.6、图 5.7）。根据实验结果，将预训练阶段的学习率设置为 0.3，微调阶段的学习率设置为 0.8。

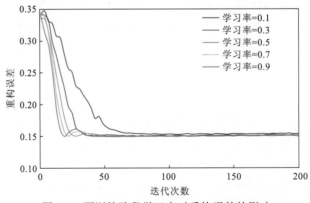

图 5.6 预训练阶段学习率对重构误差的影响

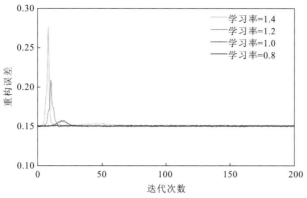

图 5.7　微调阶段学习率对重构误差的影响

2. 迭代次数

迭代次数直接影响深度自编码网络训练的效果。迭代次数过少，会导致网络训练不足，模型过于简单，即出现欠拟合现象，此时网络拟合的函数无法满足训练集，误差较大；迭代次数过多，会使网络过度训练，产生过拟合现象，此时拟合的函数能够完美地预测训练集，但对新数据即测试集的预测结果差，泛化能力不足。深度自编码网络的平均重构误差可作为量化模型训练好坏的重要指标，当网络的平均重构误差达到最小值并保持稳定时，网络保持一个稳定状态，则认为网络训练良好。本案例中平均重构误差在迭代次数为 100 时保持稳定，此时认为网络训练良好。因此，在对闽西南铁多金属矿的多元地球化学异常进行识别时，网络的迭代次数确定为 100。

3. 网络深度及隐含层节点

在样本数给定的情况下，深度自编码网络在增加隐含层时可能会表现不佳。在这种情形下，通常需要增加神经元数量进而提供更多的自由度来拟合模型，但这也可能导致网络过拟合（Larochelle et al.，2009）。考虑这些因素，本案例在自编码网络中堆叠 4 个 CRBMs。

在设置深度神经网络内隐含层的数目之后，应确定每层适宜的隐含层节点个数。如果隐含层具有较少的单元（较小的层大小），则模型将具有更少的资源来学习训练样本的特征。然而，添加更多的隐含单元意味着需要使用更多的参数，这可能会导致网络过拟合（Hinton，2012）。本案例比较了三种不同情况下的重构误差变化情况，分别是在隐含层层数增加的条件下，隐含层单元个数逐层增加（双倍）、逐层减少（减半）及保持不变，结果如图 5.8 所示。当隐含层的节点数随着其层数的增加而减少时（降序），网络表现最佳。基于自编码网络的对称结构特征，建立 40-20-10-5-10-20-40 的深度自编码网络。

5.2.5　模型输出

针对每条输入数据[图 5.9（a）]，深度自编码网络都可对其进行编码与解码，进而得到对应的重构数据[图 5.9（b）]。运行基于深度自编码网络的地球化学异常识别代码（附录 12），将原始数据与重构数据之间的重构误差[图 5.9（c）]作为地球化学异常得分，在 ArcGIS 中进行制图，最终得到多元地球化学异常识别结果（图 5.10）。基于深度自编码网络的地球化学异常识别的详细原理与技术流程，可参见 Xiong 等（2016）。

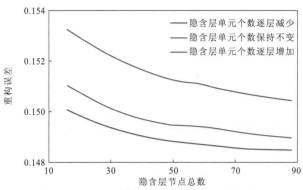

图 5.8 重构误差随隐含层节点数增加的变化

序号	Fe₂O₃	Cu	Mn	Pb	Zn
1	0.9	0.75	0.8	0.4	0.7
2	0.8	0.85	0.6	0.5	0.6
...	...	...	...	...	...
...	...	...	...	...	...
...	...	...	...	...	...
...	...	...	...	...	...
6 682	0.85	0.9	0.9	0.6	0.8

（a）输入数据

序号	重构 (Fe₂O₃)	重构 (Cu)	重构 (Mn)	重构 (Pb)	重构 (Zn)
1	0.88	0.77	0.78	0.41	0.71
2	0.82	0.82	0.62	0.52	0.62
...	...	...	...	...	...
...	...	...	...	...	...
...	...	...	...	...	...
...	...	...	...	...	...
6 682	0.89	0.95	0.83	0.66	0.85

（b）重构数据

序号	重构 误差
1	0.037 4
2	0.05
...	...
...	...
...	...
...	...
6 682	0.123

（c）重构误差

图 5.9 深度自编码网络输入及输出数据结构

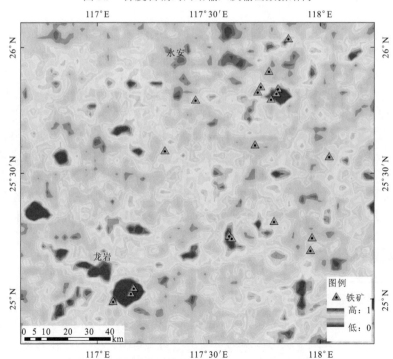

图 5.10 基于深度自编码网络的多元地球化学异常识别结果

引自 Xiong 等（2016）

5.3 基于深度自编码网络的矿产资源潜力评价

5.3.1 案例介绍

本案例研究区与 5.2 节相同,利用深度自编码网络对找矿证据图层(燕山期花岗岩体外接触带、夕卡岩化蚀变、北东—北北东向断裂构造、石炭纪—二叠纪碎屑岩—碳酸盐岩地层接触带和航磁异常)进行特征提取与集成融合,进而圈定铁多金属矿找矿远景区。

5.3.2 模型框架

深度自编码网络用于矿产资源潜力评价的原理与地球化学异常识别的原理相同。成矿作用属于稀有地质事件,在矿产资源潜力评价过程中,成矿潜力单元通常只占整个矿产勘查区域的小部分。深度自编码网络对小概率样本(如成矿潜力单元)的重构能力弱,会产生较大的重构误差;对大概率样本(如非成矿潜力单元)的重构能力强,会产生较小的重构误差。基于深度自编码网络的矿产资源潜力评价框架见图 5.11。从左至右分别为模型输入、网络结构、模型输出。其中,模型输入数据为用于成矿预测的栅格图层,网络结构部分对输入数据进行编码与解码,最后模型输出得到输入数据的重构数据。通过计算输入数据与重构数据之间的重构误差,实现矿产资源潜力评价。

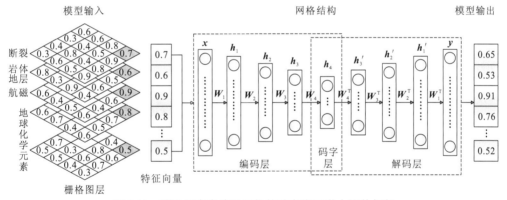

图 5.11 基于深度自编码网络的矿产资源潜力评价框架

引自 Xiong 等(2018)

5.3.3 模型输入

大数据的研究对象不是随机样本而是全体数据;且相较于因果关系,它更关注相关关系;此外,基于数据的科学,能让数据发声。深度学习方法的优点是计算结果客观,能度量非线性特征和挖掘潜在的模式。本案例将大数据思维和深度学习方法相结合,选择所有 39 种地球化学元素及控矿地质要素作为深度自编码网络模型的输入。利用深度自编码网络对这些数据进行特征提取与融合,圈定铁多金属矿成矿远景区。数据输入格式如图 5.12 所示，左边部分为用于闽西南铁多金属矿成矿预测的证据图层，包括岩体、断裂、航磁及区域 1∶20 万地球化学数据等共计 42 种变量。右边部分为数据输入格式，每个栅格图层大小均为 172×152，将每个图层转化为包含 26 144 行的一维列向量。42 个证据图层最终转换为包含 26 144 行和 42 列的特征向量，每次向深度自编码网络中逐行输入一条数据或者批次输入多条数据。

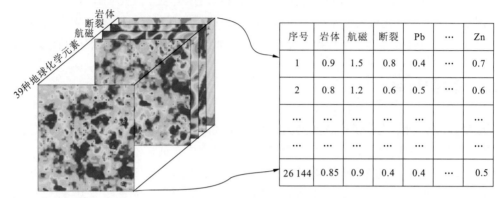

图 5.12　数据输入格式

5.3.4　模型训练

深度自编码网络的调参过程已在 5.2.4 小节详细介绍，此处不再赘述。基于深度自编码网络的矿产资源潜力评价模型输入层及输出层单元个数均设置为 42。根据不同学习率、迭代次数与重构误差之间的关系（图 5.13），将学习率和迭代次数分别设置为 0.3 和 200。

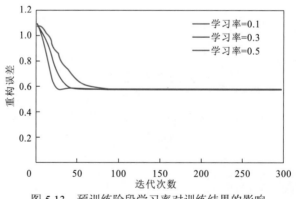

图 5.13　预训练阶段学习率对训练结果的影响

隐含层单元个数逐层增加（双倍）、逐层减少（减半）或保持不变情况下，重构误差的变化情况如图 5.14 所示，当隐含层的单元个数随着其节点总数的增加而减少时（降序），深度自编码网络表现最佳。基于深度自编码网络呈现对称结构的特征，本案例建立 128-64-32-16-32-64-128 的深度自编码网络。

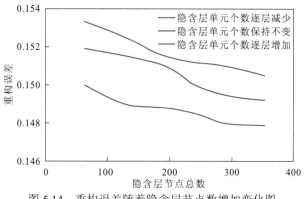

图 5.14　重构误差随着隐含层节点数增加变化图

5.3.5　模型输出

将待预测数据输入已调试好的深度自编码网络模型，运行深度自编码网络代码（附录 12），在 ArcGIS 中进行制图，最终获得矿产资源潜力预测结果（图 5.15）。基于深度自编码网络的矿产资源潜力评价的详细原理与技术流程，可参见 Xiong 等（2018）。

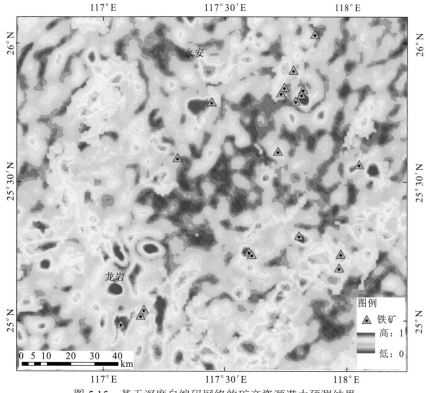

图 5.15　基于深度自编码网络的矿产资源潜力预测结果

引自 Xiong 等（2018）

第6章 生成对抗网络

生成对抗网络（generative adversarial network，GAN）作为深度学习中经典的生成式模型之一，其目的是以两个神经网络相互博弈的方式进行学习，从而根据原有的数据集生成以假乱真的新数据。GAN 通过对抗学习机制对训练数据分布进行逼近，可对数据进行更加精确的建模，并避免了复杂的计算难题，在多学科领域中具有广泛的应用。本章将对生成对抗网络的基本原理及参数进行介绍，重点介绍基于生成对抗网络的多元地球化学异常识别中数据输入、模型构建、参数选取及结果输出的详细实现过程。

6.1 基 本 原 理

生成对抗网络是生成式模型的一种，其结构见图 6.1，由 Goodfellow 等（2014）提出。GAN 的主要结构包括一个生成器（generator）和一个判别器（discriminator），其基本思路来自博弈论中的零和博弈，使判别器和生成器在相互博弈的过程中不断提升模型自身的性能（Goodfellow et al.，2014）。GAN 巧妙地使用对抗训练机制将随机噪声转化为任意需要学习的数据分布，达到生成近似样本的新数据的目的，成为半监督学习和无监督学习领域先进的研究方法（Creswell et al.，2018）。同时，GAN 的计算过程不需要使用马尔可夫链，学习过程也不需要近似推理，仅通过反向传播来计算梯度，从而避免了复杂的近似计算，与其他典型的生成式模型相比，具有极大的优势（Goodfellow，2016）。

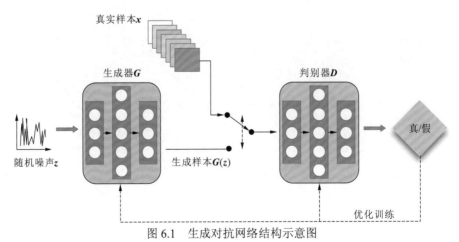

图 6.1　生成对抗网络结构示意图

修改自 Goodfellow 等（2014）

GAN 的基本原理是服从某一分布的随机向量 z 输入生成器后，通过非线性变化，得到与真实样本逼近的生成样本 $G(z)$。将生成样本与真实样本 x 作为判别器 D 的输入，根据输出值的大小估计生成样本 $G(z)$ 来自 x 的概率。尽管 GAN 中的生成器并没有接触真实数据，但通过判别器建立了随机向量与真实数据分布的映射关系，以此学习原始数据的分布从而产生新的样本。GAN 的训练过程可以看成生成器和判别器相互博弈的过程，相互交替训练生成器与判别器，在各自的环节调整自己的参数，并朝着对应的目标函数不断优化（Goodfellow，2016）。随着训练的深入，生成器与判别器的能力不断得到提升，直至判别器难以分辨出输入的数据是真实样本还是生成样本，当模型收敛时，生成器能够生成代表真实数据分布的样本。

生成对抗网络的具体训练步骤为：①设置超参数，随机初始化网络权重；②将服从某一分布的随机向量 z 输入生成器，得到生成数据 $G(z)$；③将真实样本 x 与生成样本 $G(z)$ 输入判别器，根据目标函数，先固定生成器，更新判别器参数，使其尽可能区分真假；④根据生成器的目标函数与梯度下降算法更新生成器参数，以提高生成器的生成能力；⑤采用交叉熵（cross entropy）来判别分布的相似性，交替循环执行③～⑤步，直至总体损失函数收敛。

6.2 基于生成对抗网络的地球化学异常识别

6.2.1 案例介绍

以赣南及其邻区钨多金属矿多元地球化学异常识别为案例，研究区位于江西省南部及其邻区的钨多金属成矿区，该地区矿产资源极其丰富，已发现钨矿床（点）600 余处，以赣南最为密集，如图 6.2 所示。据江西省矿产资源潜力评价研究成果，钨的成矿主要与燕山期壳源改造花岗岩密切相关。在研究区共收集 1∶20 万的水系沉积物地球化学数据 57437 个，数据来源于"区域化探全国扫面计划"项目（Wang et al.，2007；Xie et al.，1997）。本节将详细介绍利用生成对抗网络的衍生模型（GANomaly）对研究区多元地球化学异常进行识别与提取。

6.2.2 模型框架

GANomaly 是以 GAN 为主体框架的模型，它结合了自编码网络（autoencoder，AE）与卷积神经网络权值共享机制和平移不变性的优势，因此能够更好地学习数据的空间特征且减少数据噪声对异常信息提取的影响（Akcay et al.，2019）。GANomaly 网络结构如图 6.3 所示，由三个子网络组成，包含编码—解码—再编码的过程。

（1）第一个子网络是自编码网络部分，包括编码器 E1 和解码器。作为 GANomaly 模型的生成器，其训练过程为将正常样本 x 输入编码器 E1 得到潜在特征向量 z，潜在特征向量 z 通过解码器完成数据的重构。

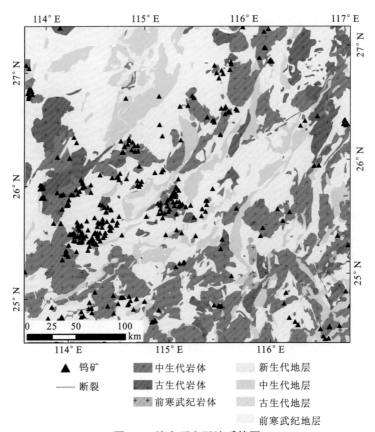

图 6.2　赣南研究区地质简图

据江西省地质调查勘查院编

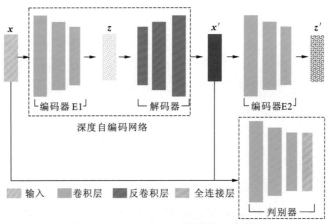

图 6.3　GANomaly 网络结构示意图

引自 Akcay 等（2019）

（2）第二个子网络为编码器 E2，重构数据 x' 输入编码器 E2 获得重构的潜在特征向量 z'，用于约束重构数据与原始数据，使其特征保持一致，从而使生成模型在更高层的抽象空间中学习得更充分且具有更强的鲁棒性。

（3）第三个子网络为判别器，它的作用是判断数据是来自生成数据还是正常的样本数据。当判别器难以区分两者时，证明此时的生成数据与正常的样本数据极为相似。训练阶段仅使用正常样本进行训练。在测试阶段，当输入异常样本时，模型中的解码器无法正确地重构异常样本，这使得编码器 E2 得到的重构的潜在特征向量 z' 与编码器 E1 得到的潜在特征向量 z 存在极大的差异，通过对比这两个向量之间的差异即可识别异常样本。

生成器和判别器的多次博弈，使两次编码得到的潜在特征向量的差异极小，一方面提高解码器恢复输入样本的能力，另一方面提高编码器的特征提取能力，使得输入样本 x 的潜在特征向量 z 能够较好地反映输入样本的有效信息，减少噪声或其他因素对异常检测结果的干扰，从而提高模型的准确性。

6.2.3　模型输入

根据研究区典型矿床研究资料，W、Sn、Mo、Bi、Ag 5 种元素与钨多金属矿床密切相关（Liu et al.，2013），选择这 5 种元素作为 GANomaly 网络的输入，以提取钨多金属矿多元地球化学异常。首先将地球化学元素空间分布数据转化为 1 km×1 km 大小的栅格图层，然后将二维栅格图层转置成 112 896（行）×5（列）的特征向量（图 6.4）。从全部数据中随机选择 30%数据作为训练样本，剩余数据作为地球化学异常识别的测试样本。

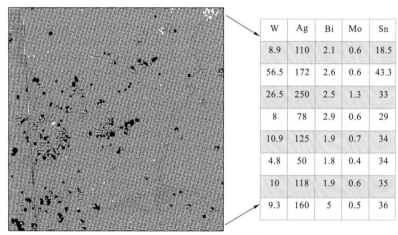

图 6.4　数据输入示意图

6.2.4　模型训练

GANomaly 模型以深度卷积生成对抗网络为框架，通过卷积层或反卷积层连接整个网络，需要调节的参数包括学习率、迭代次数、批处理大小、卷积层参数和网络深度。

1. 学习率

采用网格搜索法，设置不同的学习率（lr=0.001、0.0001、0.00001、0.0005），以受试者工作特征曲线（ROC）下方面积（AUC）作为评价指标，预测结果的 ROC 曲线见图 6.5，选择预测结果最好时对应的学习率。

2. 迭代次数

训练过程中目标函数值会随迭代次数的改变而变化，随着网络参数的迭代更新，目

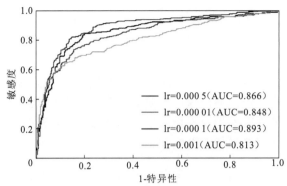

图 6.5　不同学习率的预测结果的 AUC 综合对比图

标函数值（损失函数值）不断减小，最终收敛，表明此后网络保持相对稳定（图 6.6）。对比稳定状态下不同迭代次数的预测结果，即可选择合适的迭代次数。此时网络既可获得稳定的训练，又不必进行过多次的迭代循环。

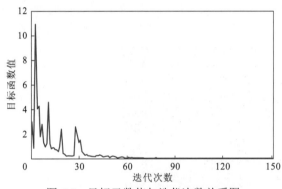

图 6.6　目标函数值与迭代次数关系图

3. 批处理大小

设置不同的批处理大小，对比目标函数值以选择合适的批处理大小，图 6.7 显示批处理大小为 128 和 256 时目标函数值的变化。

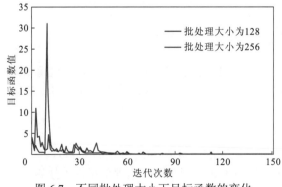

图 6.7　不同批处理大小下目标函数的变化

4. 卷积层参数

卷积层需要调节的主要参数有卷积核数目、卷积核尺寸及步长大小等。通过比较不同参数设置下获得的预测结果的稳定性、AUC 值与损失函数曲线来选择合适的参数。

5. 网络深度

基于 GANomaly 的对称结构，编码器与解码器均采用三层网络深度，编码过程采用卷积层对数据进行下采样，而解码过程采用反卷积层对数据进行上采样，通过构建不同层数的网络深度（增加或减少卷积层和反卷积层），对比预测结果稳定性、AUC 值与损失函数曲线来调节网络的深度。

6.2.5 模型输出

模型训练完成后，输入测试集，运行基于生成对抗网络的地球化学异常识别代码（附录 13），测试样本通过编码器 E1 获得潜在特征向量 z，然后通过解码器和编码器 E2 获得重构的潜在特征向量 z'。检测潜在特征向量 z 和重构的潜在特征向量 z' 之间的平均绝对误差（$A(x)$）即可识别测试数据中的异常样本。

图 6.8 所示为 GANomaly 识别的地球化学异常结果。大部分已知的钨多金属矿床都位于高异常区，即潜在特征向量 z 与重构的潜在特征向量 z' 之间表现出较大差异的地区，这表明 GANomaly 可以有效识别与钨多金属矿床相关的多元地球化学异常，提取的异常信息可以进一步服务于该区的矿产勘查。基于生成对抗网络的地球化学异常识别的详细原理与技术流程，可参见 Luo 等（2021）。

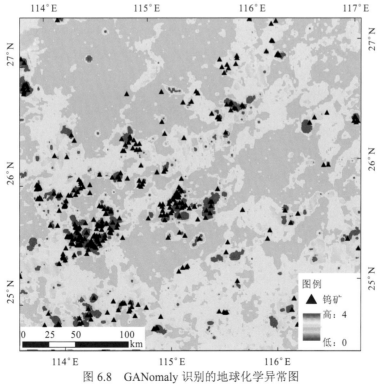

图 6.8　GANomaly 识别的地球化学异常图

引自 Luo 等（2021）

第 7 章 深度信念网络

深度信念网络（deep belief networks，DBN）是由多个受限玻尔兹曼机组成的概率生成神经网络，采用逐层训练的方式，解决了深度神经网络的优化问题，并能有效挖掘数据中包含的深层次特征。基于该深层次特征，可进一步提升分类与预测效果，以及异常识别能力。本章将简要介绍深度信念网络的基本原理，重点介绍基于深度信念网络在地球化学异常识别过程中的模型输入、模型构建、模型输出等具体实现过程。

7.1 基 本 原 理

深度信念网络是一种多层次的网络结构。在 DBN 之前，很多浅层的人工神经网络已经得到了广泛的应用；深层网络的结构优势其实早已被认识到，并且研究者已尝试利用更深层次的网络对数据进行训练。但深度神经网络在训练时遇到了很大的困难，比如在利用反向传播算法进行迭代训练时，多层的网络导致复杂度很高的目标函数产生了很多局部极小点，如果利用梯度下降算法进行求解很容易使网络收敛到局部极小点，训练的效果通常比浅层网络训练的效果差，因此之前深度网络没有得到广泛的应用。直到 Hinton 等（2006a）提出深度信念网络，解决了深度神经网络的训练和优化问题，深度神经网络开始受到广泛关注。

深度信念网络是一个概率生成模型，是由多个受限玻尔兹曼机（RBM）组成的多隐含层神经网络。与深度自编码网络结构相似，通过 RBM 的逐层堆叠，DBN 模型可从原始数据中逐层提取特征，获得一些深层次的特征表达。图 7.1 为一个由三个受限玻尔兹曼机（RBM）堆叠而成的深度信念网络，训练过程由低到高逐层进行。DBN 的训练主要分为两个阶段：第一个阶段是自下而上的预训练阶段，第二个阶段是自上而下的微调阶段。

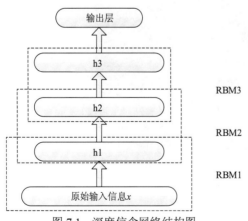

图 7.1 深度信念网络结构图
改自 Hinton 等（2006a）

1. 自下而上的预训练

DBN 训练的第一步是利用非监督逐层贪婪算法对网络进行预训练。如图 7.1 所示，逐层贪婪算法的基本思想：首先，从最底层开始训练第一层 RBM，记为 RBM(x, h1)，它由最底层的数据输入单元 x 和隐含层 h1 组成，对 RBM(x, h1)进行充分地训练得到该层的参数；然后，通过训练得到的参数对 h1 进行吉布斯采样，得到 h1 的样本，将 h1 作为可见层、h2 作为隐含层构建第二层 RBM，记为 RBM(h1, h2)，同样进行充分地训练；最后，在第三层进行同样的操作，训练完第三层后预训练过程结束。利用逐层贪婪算法求解每一层的最优解，最后得到的总体解虽然不是全局最优解，但是在预训练中已经足够，经过预训练会使后面的全局训练更容易迭代出全局最优解。

2. 自上而下的微调

在预训练阶段，训练学习到的权重矩阵虽然反映了数据的结构信息，但并没有得到最优的结果。为了得到更准确的分类参数，需要利用带标签数据的全局学习算法（如反向传播神经网络）对 DBN 参数进行微调，从而使模型收敛到局部最优点。这是一个全局训练的过程，这个阶段把 DBN 看作一个 BP 网络，把预训练后得到的参数作为 BP 网络的初始参数，然后用 BP 网络的训练方法进行训练。

对 DBN 而言，其核心是用逐层贪婪算法优化深度神经网络的连接权重，即首先使用无监督逐层训练的方式，有效挖掘数据中包含的深层次特征，然后在增加相应分类器的基础上，通过反向的有监督微调，优化 DBN 的预测与分类能力。其中，无监督逐层训练通过直接把数据从输入映射到输出，能够学习一些非线性复杂函数，这也是它具备强大特征提取能力的关键。因而，在 DBN 的最上层添加异常检测算法或者分类器（如随机森林和支持向量机），即可实现地球化学异常识别及矿产资源潜力评价。

7.2 基于深度信念网络的地球化学异常识别

7.2.1 案例介绍

本案例以闽西南铁多金属成矿带为研究区，利用深度信念网络和单分类支持向量机（one-class support vector machines，OCSVM）对研究区水系沉积物地球化学数据进行特征提取，从而识别与铁多金属矿有关的多元地球化学异常，研究区及数据介绍见 3.4.1 小节。

7.2.2 模型框架

针对高维地球化学异常识别问题，首先可以利用深度信念网络强大的特征提取能力实现高维数据的降维，然后基于异常检测的方法实现异常识别与提取。与其他传统的线性降维方法相比，深度信念网络最大的特点在于利用自身非线性的结构进行特征提取，将数据从高维空间映射至低维空间，从而降低数据的维度。这种非线性降维方法可以最大程度保留原始数据的高维特征，并且算法的复杂度较低，相比其他算法可以更有效地解决高维数据的异常检测问题。

本案例使用的异常检测算法是基于线性核函数的单分类支持向量机。单分类支持向量机是一类特殊的分类器，其训练样本可以只包含一个类别的数据信息。由 Schölkopf 等（2001）提出的基于支持向量机的单分类算法是将目标样本映射到高维空间，并在该空间

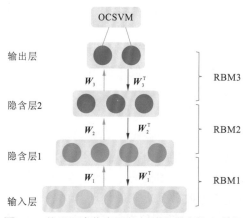

输出层

W_3 W_3^{T} RBM3

隐含层2

W_2 W_2^{T} RBM2

隐含层1

W_1 W_1^{T} RBM1

输入层

图 7.2　基于深度信念网络与单分类支持向量机
的地球化学异常识别框架

引自 Xiong 等（2020）

内最大化超平面和原点之间的距离，因此通过重新定义原点或者目标样本与原点之间距离计算方式来实现分类。OCSVM 能够有效地解决高维且数据不平衡问题，广泛应用于异常识别、边缘检测和故障检测与诊断。

基于深度信念网络（DBN）与单分类支持向量机（OCSVM）的地球化学异常识别框架如图 7.2 所示，该模型由底层的三个 RBM 堆叠而成的 DBN 和顶层的 OCSVM 两部分组成。将原始数据首先输入 DBN 的输入层，经 RBM1 训练后，输入层数据被映射至隐含层 1；隐含层 1 的输出作为 RBM2 的输入，继续训练后得到隐含层 2；隐含层 2 的输出作为 RBM3 的输入，继续训练后得到隐含层 3，进而可将隐含层 3 的数据即 DBN 的输出作为 OCSVM 的输入进行异常检测。

7.2.3　模型输入

深度信念网络的数据输入格式如图 7.3 所示。左边部分为原始地球化学数据采样点分布图，每个采样点分析了 39 种地球化学元素含量作为深度信念网络的输入，其数据组织结构为 6682（行）×39（列）的特征向量。每次可以向深度信念网络中逐行输入一条数据或者批次输入多条数据。

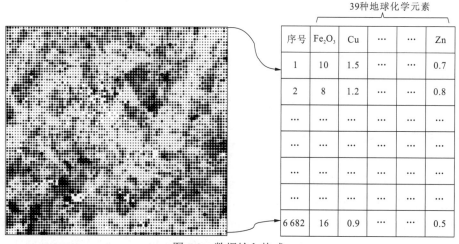

序号	Fe_2O_3	Cu	...	...	Zn
1	10	1.5	...	...	0.7
2	8	1.2	...	...	0.8
...	...	...	...	...	...
...	...	...	...	...	...
...	...	...	...	...	...
...	...	...	...	...	...
6 682	16	0.9	...	...	0.5

39种地球化学元素

图 7.3　数据输入格式

7.2.4　模型训练

选择合适的模型参数对 DBN 和 OCSVM 的性能至关重要。DBN 需要调节的参数有输入层单元个数、隐含层单元个数、输出层单元个数、迭代次数和学习率。参考 5.2.4

小节和 5.3.4 小节中模型训练及模型参数设置方法，针对本案例，将异常检测模型输入层单元个数设置为 39，隐含层单元个数分别设置为 128、64、32 和 16，输出层单元个数设置为 39，模型的迭代次数和学习率分别固定为 200 和 0.3。

对 OCSVM 而言，直接影响异常识别性能的参数有控制最终决策泛化能力（训练集中可被识别为地球化学异常的比例）v 和核函数 k。利用 ROC 曲线与 AUC 值作为 v 和 k 的选取依据。支持向量机中最常用的核函数有线性（linear）核函数、多项式（polynomial）核函数、sigmoid 核函数及高斯径向基核函数（radial basis function kernel，RBF）。图 7.4 为不同核函数下预测结果的 ROC 曲线，其中利用 RBF 核函数提取的多元地球化学异常具有最大的 AUC 值，多项式核函数次之。对于参数 v，Chen 等（2017）讨论了识别的异常的 AUC 值与不同的 v 值（按 0.05 的步长从 0.05 增加到 0.5）之间的关系：随着 v 增加，AUC 值呈先增后减的趋势，在 0.25 处达到最大值。借鉴该思路，计算单一的 OCSVM、DBN 与 OCSVM 的混合模型，以及主成分分析（principal component analysis，PCA）与 OCSVM 的混合模型在不同 v 值设置下对应的 AUC 值。由图 7.5 可知，三种方法在 $v=0.3$ 处均获得最大的 AUC 值，因此将参数 v 设置为 0.3。

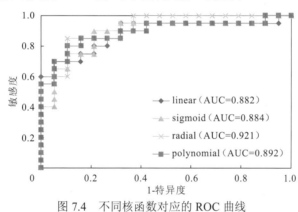

图 7.4　不同核函数对应的 ROC 曲线

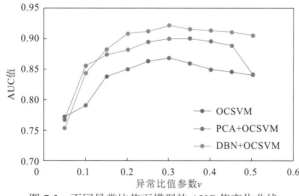

图 7.5　不同异常比值下模型的 AUC 值变化曲线

7.2.5　模型输出

运行深度信念网络代码（附录 14），针对每条输入数据[图 7.6（a）]，深度信念网络都可对其进行特征提取，并将特征作为单分类支持向量机的输入，进而得到对应的决策函数值作为地球化学异常得分[图 7.6（b）]。将输出的异常得分在 ArcGIS 中进行制图，得到研究区与铁多金属矿有关的多元地球化学异常识别结果（图 7.7）。基于深度信念网络和单分类支持向量机的地球化学异常识别的详细原理与技术流程，可参见 Xiong 等（2020）。

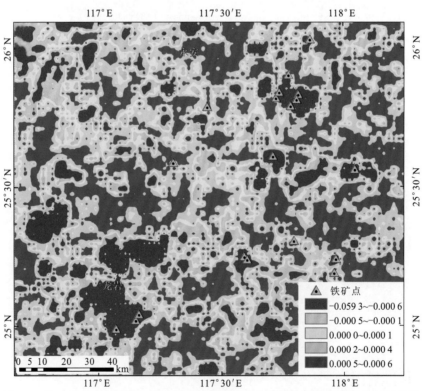

图 7.6　数据输入与输出结构示意图

图 7.7　基于深度信念网络与单分类支持向量机混合模型的地球化学异常识别结果

引自 Xiong 等（2020）

第8章　深度强化学习

> 深度强化学习（deep reinforcement learning）是强化学习和深度学习的结合，已经被应用于多源数据集成与融合。本章将介绍深度强化学习的基本原理，重点介绍基于深度强化学习的矿产资源潜力评价，以及模型输入、模型构建、模型输出等具体实现过程与步骤。

8.1　基 本 原 理

强化学习是学习从状态到行动的映射过程以便最大化奖励或强化信号，它最基本的两个特征是试错搜索和延迟奖励（Sutton，1992），最基本的两个元素是智能体和环境（Dong et al.，2020）。图 8.1 展示了智能体与环境的关系，在两者的"交互"中，智能体首先在 t 时刻从环境中观测状态 S_t，然后根据自身策略在预先定义好的动作空间中选取动作 A_t 来完成"交互"，在智能体每次动作完成后，环境会根据评价指标即奖励 R_t 来进行评判。一系列状态、动作和奖励组合起来构成了一条轨迹或一个片段 $\tau=(S_0,A_0,R_0,S_1,A_1,R_1,\cdots)$，其中 S_0、A_0、R_0

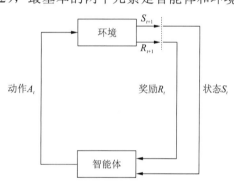

图 8.1　智能体与环境的关系示意图

分别为初始时刻的状态、动作和奖励。强化学习的目标就是通过优化策略来最大化在该策略下所给定的所有可能轨迹的期望回报（$J(\pi)=\mathrm{E}_{\tau\sim\pi}[R(\tau)]$）（Dong et al.，2020）。其中策略（π）表示智能体在每一个状态 s 和动作 a 到其概率分布的映射，也就是 $\pi(a|s)=p(A_t=a|S_t=s)$。最优策略（π^*）表示在该策略下所有可能轨迹的期望回报的最大值，即 $\pi^*=\arg\max_{\pi}J(\pi)$。

如果强化学习任务满足马尔可夫性质，那么该任务可称为马尔可夫决策过程（Markov decision process，MDP）（Sutton et al.，2018）。很多强化学习问题的关键假设就是智能体与环境间的"交互"可以被看成一个 MDP。MDP 由 5 个元素 $\langle S,A,P,R,\gamma\rangle$ 构成，其中，S 为状态集合，A 为动作集合，P 为状态转移概率，R 为奖励，γ 为衰减因子。在 MDP 中，给定一个动作，即生成动作价值函数 $Q^{\pi}(s,a)$，该函数代表状态和动作的期望回报，用下式表示：

$$Q^{\pi}(s,a)=\mathrm{E}_{\tau\sim\pi}[R(\tau)|\ S_0=s,A_0=a]=\mathrm{E}_{A_t\sim\pi(\cdot|S_t)}\left[\sum_{t=0}^{\infty}\gamma^t R(S_t,A_t)|\ S_0=s,A_0=a\right] \tag{8.1}$$

动作价值函数的贝尔曼方程（Bellman，1957）用于计算给定策略时动作价值函数在轨迹上的期望，表示为

$$Q^{\pi}(s,a)=\mathrm{E}_{s'\sim p(\cdot|s,a)}\{R(s,a)+\gamma\mathrm{E}_{a'\sim\pi(\cdot|s')}[Q^{\pi}(s',a')]\} \tag{8.2}$$

贝尔曼方程可以采用时间差分（Sutton，1988）进行求解，即

$$Q(S_t,A_t)\leftarrow Q(S_t,A_t)+\alpha[R_t+\gamma Q(S_{t+1},A_{t+1})-Q(S_t,A_t)] \tag{8.3}$$

式中：$Q(S_t,A_t)$ 为 t 时刻的 Q 值；R_t 为 t 时刻的回报；$Q(S_{t+1},A_{t+1})$ 为 $t+1$ 时刻采取行动的 Q 值；α 为学习率。

Q-learning 是 Watkins（1989）提出的一种强化学习算法。它是一种离线策略的时间差分算法，其行动依赖于动作价值函数：

$$Q(S_t,A_t)\leftarrow Q(S_t,A_t)+\alpha[R_t+\gamma\max_a Q(S_{t+1},a)-Q(S_t,A_t)] \tag{8.4}$$

式中：$\max\limits_a Q(S_{t+1},a)$ 为 $t+1$ 时刻采取行动的最大 Q 值。

图 8.2 展示了 Q-learning 的学习过程。智能体从环境中观测得到当前状态 S_t，根据 Q 表格采取行动，得到相应的奖励 R_t 及获得下一个状态 S_{t+1}，并根据动作价值函数对当前 Q 值迭代进行更新逼近，不断循环直到达到终止状态。

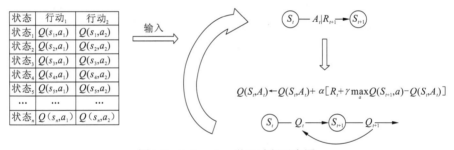

图 8.2　Q-learning 学习过程示意图

此外，DeepMind 团队提出了深度 Q 网络（deep Q-network，DQN），它在强化学习算法 Q-learning 的基础上，加入了回放缓存技术及深度神经网络（Mnih et al.，2015，2013）。回放缓存技术是在每个 t 步中，DQN 先将获得的经验（S_t,A_t,R_t,S_{t+1}）放入回放缓存中，然后从缓存中小批量均匀采样用于更新。该技术在提高数据利用率的同时，打断了样本间的高度相关。

深度神经网络的引入替代了原来的 Q 表格，能够很好地应对大规模的数据空间，并使用价值函数进行逼近。与此同时，除设置 Q 网络外，还设置了目标网络，它作为一个单独的网络，可以替代 Q 网络来生成目标，进一步提升网络的稳定性。每过 K 步，将 Q 网络的参数赋值给目标网络，使目标值的产生不受参数更新的影响，从而减少网络的发散和振荡的情况。网络参数 θ 的更新，可以表示为

$$\theta_t\leftarrow\arg\min_{\theta}\mathcal{L}[Q(S_t,A_t;\theta),R_t+\gamma Q(S_{t+1},A_{t+1};\theta')] \tag{8.5}$$

式中：$\mathcal{L}$ 为损失函数；$Q(S_t,A_t;\theta)$ 和 $Q(S_{t+1},A_{t+1};\theta')$ 分别为 Q 网络和目标网络的 Q 值。在 DQN 的学习过程中，目标网络的 Q 值是所有动作价值函数中最大的，即 $\max\limits_{A_{t+1}}Q(S_{t+1},A_{t+1};\theta')$。

通过参数 θ 的更新，Q 网络不断向目标网络逼近。

图 8.3 为深度 Q 网络的算法流程图。首先回放缓存和环境进行"交互"获得一定量的经验，将此经验用于对 Q 网络和目标网络的输入，从而得到 $Q(S_t,A_t;\theta)$ 和 $Q(S_{t+1},A_{t+1};\theta')$。通过损失函数计算两者的损失，并利用网络的反向传播实现对 Q 网络的更新。不断重复上述过程，直到训练结束。

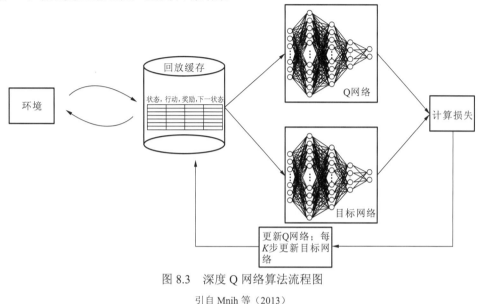

图 8.3　深度 Q 网络算法流程图

引自 Mnih 等（2013）

8.2　基于深度强化学习的矿产资源潜力评价

8.2.1　案例介绍

本案例以菲律宾碧瑶地区为研究区，利用深度强化学习对找矿证据图层（北东向断裂、北西向断裂、Agno 深成基岩体边缘带、斑岩侵入体接触带）进行特征识别，从而圈定金矿找矿远景区。

8.2.2　模型框架

在强化学习中，智能体针对环境进行学习，因此需要设置一个异常偏置的环境，使智能体能够识别出更多的异常信息，圈定找矿有利地区。本小节借助 Pang 等（2021）提出的框架，设置深度强化学习的环境及智能体。

如图 8.4 所示，对环境进行设置，状态空间 S 的集合分为两部分，一部分是标记为矿点的找矿证据图层 $\mathcal{D}^l$，另一部分是未标记找矿证据图层 $\mathcal{D}^u$；动作空间 A 只有两个动作 $\{0,1\}$，0 代表智能体认为当前状态不是异常，1 代表智能体认为当前状态是异常。环境反馈给智能体下一状态及当前奖励。下一状态从 $\mathcal{D}^l$ 或 $\mathcal{D}^u$ 中随机选取，它们被选取的概率分

别为 p 和 $1-p$。从 $\mathcal{D}^l$ 中选取样本时，随机抽取一个样本，为了减少模型的运算，使模型尽快收敛，从 $\mathcal{D}^u$ 中随机抽取一部分样本 $\mathcal{S}$（$|\mathcal{S}|=1\,000$）进行运算，遵循如下规则：

$$g(s_{t+1}|s_t,a_t)=\begin{cases}\underset{s\in\mathcal{S}}{\arg\min}\,d(s_t,s),\quad a_t=1\\[2mm]\underset{s\in\mathcal{S}}{\arg\max}\,d(s_t,s),\quad a_t=0\end{cases}\tag{8.6}$$

式中：$g(s_{t+1}|s_t,a_t)$ 为在当前动作状态中下一个状态的转移函数；$d(s_t,s)$ 为当前状态与 $\mathcal{S}$ 集合中各个样本的距离。该函数表示，若当前动作为 1，则从中选取距离最近的样本，否则选取距离最远的样本。

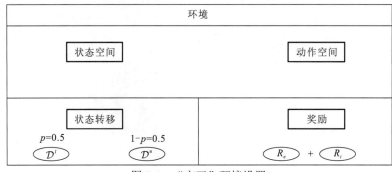

图 8.4 "交互"环境设置

当前奖励分为两部分，一部分是外部奖励 R_e，在进行计算时遵循如下规则：

$$R_e=\begin{cases}1,\quad a_t=1\text{且}s_t\in\mathcal{D}^l\\0,\quad a_t=0\text{且}s_t\in\mathcal{D}^u\\-1,\quad\text{其他}\end{cases}\tag{8.7}$$

式（8.7）表示在当前动作为 1，并且状态属于 $\mathcal{D}^l$ 时，奖励为 1；在当前动作为 0，并且状态属于 $\mathcal{D}^u$ 时，奖励为 0；其他情况皆是负奖励。另一部分内部奖励 R_i 是在孤立森林（Liu et al.，2012）中计算当前状态异常得分，并将结果进行归一化，使结果在[0, 1]中分布。结果越接近 1，当前状态是异常的可能性越大。最终，当前奖励 $R_t=R_e+R_i$。

智能体中构建深度神经网络如图 8.3 中的 Q 网络所示，神经网络的输入为状态空间，输出为行动空间的 Q 值，其中包含隐含层。在本案例中，智能体所采取的策略为 ε-greedy，在该策略下智能体有 ε 的概率随机选择动作，有 $1-\varepsilon$ 的概率选取最大 Q 值的动作。ε-greedy 中 ε 随步数的增大而减小，从第 1 步到第 10 000 步，ε 逐渐减小为 0.1（$\varepsilon=1-0.000\,09\times$ 步数），这表示智能体由最初的自由探索到后面逐渐选取 Q 值最高的动作，但仍有 0.1 的概率随机选取其他动作。

基于深度强化学习的矿产资源潜力评价框架见图 8.5。智能体与环境的不断"交互"，训练智能体中的 Q 网络越来越适应环境。在训练中，智能体被训练来最小化式（8.5）中的损失值。训练完成后，智能体会返回 Q 网络 $Q(S_t,A_t;\theta^*)$，这个网络是最优动作价值函数的近似。具体来说，给定一个状态，Q 网络都会进行一次前向传播，从而得到两个动作的 Q 值。通过对奖励的设定可以得出，当智能体采取动作 1 时，当前状态被标记为异常所得的奖励 R_e 比未标记为异常所得的奖励要高。并且，根据孤立森林所反馈的奖励 R_i 可以得出，当前状态是异常的奖励比非异常的奖励要高。因此，当智能体采取动作 1 时，当前状态是异常的概率越高，获得的奖励 R_i 越高，相应的 Q 值也越高。在成矿潜力评估中，只选取动作为 1 的 Q 值，Q 值越高代表当前状态为异常时奖励得分越高，成矿潜力越大。

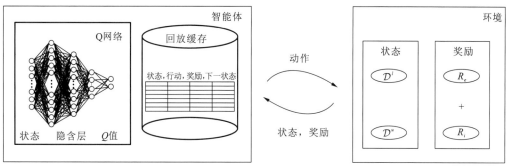

图 8.5　基于深度强化学习的矿产资源潜力评价框架

8.2.3　模型参数

深度强化学习模型中参数可分为环境参数和智能体参数两部分。在环境参数中，状态转移概率 p 决定环境中下一状态的选择；奖励的设定决定智能体学习的目标；总的步数设定决定环境与智能体"交互"的次数；片段长度的设定决定从初始态达到终止态环境与智能体"交互"的次数。

在智能体参数中，对神经网络结构进行的设计决定 Q 网络如何处理环境给出的状态，并输出相应的 Q 值；回放缓存的大小决定智能体存储信息的多少，它是实时更新的，弹出旧信息储存新信息；回放缓存中最小采集尺寸表示在 Q 网络更新时，一次性从回放缓存中抽取数据的多少；热身步的大小决定智能体在初始的步数中只与环境进行"交互"而不更新网络；目标网络的更新步数 K 决定自身更新一次的时间；衰减因子 γ 是为了平衡未来奖励与当前奖励的影响；当 Q 网络参数更新时，使用均方根误差作为损失函数 $\mathcal{L}$。

8.2.4　模型输入

深度强化学习模型的数据输入格式如图 8.6 所示。左边 4 个地质要素分别为北东向断裂、北西向断裂、斑岩侵入体接触带和 Agno 深成基岩体边缘带，将它们转换为栅格格式，融合成 4 个通道，每个栅格点都具有 4 个属性，即强化学习中的状态，共计 41553 个栅格点。将数据划分为两个区域，下部是训练区，上部是测试区。将训练区数据划分为两类数据集，有矿点的栅格点数据集划分为 $\mathcal{D}^l$，无矿点的栅格点数据集划分为 $\mathcal{D}^u$，环境从 $\mathcal{D}^l$ 与 $\mathcal{D}^u$ 中选取状态反馈给智能体。

8.2.5　模型训练

Mnih 等（2015，2013）提出的 DQN 算法，主要是针对 Atari 游戏所设置，因此具有高维的状态空间及动作空间，并且所采用的网络是卷积神经网络，目的是更好地识别

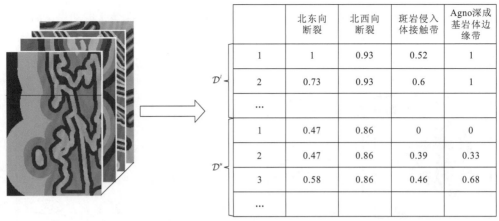

		北东向断裂	北西向断裂	斑岩侵入体接触带	Agno深成基岩体边缘带
$\mathcal{D}^l$	1	1	0.93	0.52	1
	2	0.73	0.93	0.6	1
	...				
$\mathcal{D}^u$	1	0.47	0.86	0	0
	2	0.47	0.86	0.39	0.33
	3	0.58	0.86	0.46	0.68
	...				

图 8.6　数据输入格式

输入的图像。但在矿产资源潜力评价中，为了更好地适应网络结构，需要对网络结构等参数进行调整。智能体 DQN 采用深度神经网络，其中包含 3 个隐含层，激活函数均为 ReLU。为了避免过拟合问题，将其单元个数分别设置为 100、50、20。设置热身步数为 10 000，即不对智能体做任何变动，让它在 ε-greedy 策略下对环境自由"交互"。在 ε-greedy 策略中，ε 从 1 到 0.1 逐渐降低，使智能体在前 10 000 步利用最大动作 Q 值的同时，还能够去探索其他动作。将 DQN 训练步数设置为 200 000，同时设置目标网络更新步数为 40 000，以避免目标网络频繁更新或更新缓慢，无法得到理想的 Q 值。一条轨迹或片段设置为 4 000 步，即当且仅当 4 000 步完成后，片段才会结束，最终会产生 50 个片段。回放缓存最大容量设置为 10 000，使智能体尽早地收敛。

在环境设置中，$\mathcal{D}^l$ 与 $\mathcal{D}^u$ 状态转移概率是相等的，能够防止智能体偏向某一个状态集合。在 R_e 中，−1、0、1 的标量奖励设置可以促使智能体识别出已知的异常；在 R_i 中，孤立森林可以快速且高效地识别数据集中存在的异常数据（Liu et al.，2012），并且[0, 1] 的标量奖励设置在激励智能体识别潜在异常的同时，还与奖励 R_e 加和，避免了因 R_i 奖励过高而忽略已知的成矿信息，进而可以激励智能体在学习已知矿化信息的同时，从未知信息的数据集中挖掘更多的成矿信息。

其余参数如最小采集尺寸、衰减因子 γ、学习率 α 等均保持为默认参数。图 8.7 为智能体在每个片段中获得的奖励总和，随着片段的不断增加，奖励逐渐增加并维持在 2400 左右。

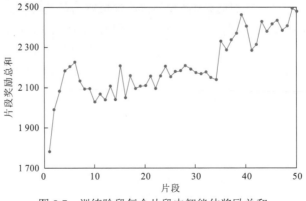

图 8.7　训练阶段每个片段中智能体奖励总和

8.2.6 模型输出

运行深度强化学习代码（附录 15），训练完成后，智能体中的 Q 网络，能够在给定状态下，给出当前动作为 1 时的 Q 值（表 8.1），即当前状态为异常时的得分。得分越高，说明该状态为异常的可能性更高，成矿可能性越大。在 ArcGIS 中对异常得分进行制图，最终获得菲律宾碧瑶地区金矿成矿远景区预测结果（图 8.8）。

表 8.1　状态与 Q 值

序号	北东向断裂	北西向断裂	斑岩侵入体接触带	Agno 深成基岩体边缘带	Q 值
1	0	0.93	0	0	2.41
2	0	1	0	0	2.50
3	1	0.86	0.35	0.33	0.68
4	0.58	0	0.52	0.68	3.26
5	0.47	0	0	1	2.87
...	...	...	...	...	...
41 553	0	0	0	1	2.81

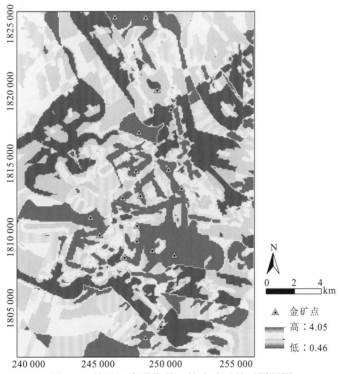

图 8.8　基于深度强化学习的成矿远景区预测图

第 9 章 图神经网络

图神经网络（graph neural network，GNN）是一类用于处理图数据的神经网络模型，在推荐系统及遥感图像识别领域使用较多。本章将简要介绍图神经网络的基本原理，重点介绍基于图神经网络的矿产资源潜力评价，以及模型输入、模型构建、模型输出等具体实现过程与步骤。

9.1 基 本 原 理

图神经网络的起源可以追溯到递归神经网络。Frasconi 等（1998）和 Sperduti 等（1997）使用递归神经网络处理有向无环图的开创性举动启发了 GNN 的早期研究。GNN 的概念最早由 Gori 等（2005）提出，并被 Scarselli 等（2009）和 Gallicchio 等（2010）在各自的工作中进一步细化。GNN 的直观思想是图中的节点表示对象，边表示它们的关系（Gori et al.，2005）。图可分为有向图和无向图。有向图从一个节点到另一个节点的边是不可逆的，但在无向图中它们是可逆的。如果两个节点满足设置的条件，它们将由无向图中的一对边连接起来（Wu et al.，2021）（图 9.1）。本节将介绍图卷积网络（graph convolutional network，GCN）和图注意力网络（graph attention network，GAT）两种图神经网络模型。

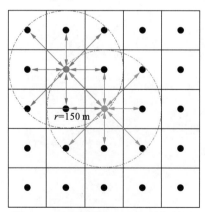

图 9.1　距离阈值为 150 m 的拓扑图

9.1.1　拓扑图构建

在使用 GNN 之前，需要构造一个拓扑图来反映节点对之间的邻接关系。拓扑图决定了更新节点信息的节点数量，通过学习节点数据的空间结构，可以得到无向图 $G = (N, E)$。

$$N = \{\boldsymbol{n}_1, \boldsymbol{n}_2, \cdots, \boldsymbol{n}_m\}, \quad \boldsymbol{n}_i \in R^F \tag{9.1}$$

$$E = \{E_{1,1}, E_{1,2}, \cdots, E_{m,m}\}, \quad E_{i,j} = \begin{cases} 1, & d_{i,j} \leqslant K \\ 0, & d_{i,j} > K \end{cases} \tag{9.2}$$

式中：N 和 E 分别为节点集和边集，若节点 i 和节点 j 之间有边连接，则 $E_{i,j}=1$，若没有连接，则 $E_{i,j}=0$；$\boldsymbol{n}_m$ 表示图 G 中包含 m 个节点；$\boldsymbol{n}_i$ 为含有属性的节点向量；F 为每个节点的属性数量；$d_{i,j}$ 为节点 i 和节点 j 之间的距离；K 代表距离阈值，若 $d_{i,j} \leqslant K$，则将两个节点连接。

9.1.2 图卷积网络

图的非欧几里得特性（如不规则的结构）使得图上的卷积和滤波不如图像明确（Zhang et al.，2019b）。图卷积可以从频谱域和空间域定义。基于频谱的图卷积把图看作信号，利用图的拉普拉斯矩阵的特征值和特征向量来研究图的性质，基于空间的图卷积对邻域的节点信息进行聚合。Kipf 等（2016）提出了一种图卷积网络，通过取一阶近似的切比雪夫多项式实现高效的一阶邻域卷积和聚合。一个多层图卷积网络的逐层传播规则如下：

$$\boldsymbol{H}^{(l+1)} = \sigma(\tilde{\boldsymbol{D}}^{-1/2} \tilde{\boldsymbol{A}} \tilde{\boldsymbol{D}}^{-1/2} \cdot \boldsymbol{H}^{(l)} \cdot \boldsymbol{W}^{(l)}) \tag{9.3}$$

式中：$\tilde{\boldsymbol{A}} = A + \boldsymbol{I}_N$，表示加自环的无向图的邻接矩阵，$\boldsymbol{I}_N$ 为单位矩阵；$\tilde{\boldsymbol{D}}_{ij} = \sum_j \tilde{\boldsymbol{A}}_{ij}$；$\boldsymbol{W}^{(l)}$ 为一个可训练的层权重矩阵；$\sigma(\cdot)$ 为激活函数 $\mathrm{ReLU}(\cdot) = \max(0, \cdot)$（Kipf et al.，2016）；$\boldsymbol{H}^{(l)}$ 为第 l 层的激活矩阵，$\boldsymbol{H}^{(0)} = N$。

9.1.3 图注意力网络

受注意力机制的启发，Veličković 等（2018）引入了一种基于注意力的图结构数据节点分类网络，即图注意力网络。图注意力网络利用隐藏的自注意力层解决了以往基于图卷积或近似方法的不足。图注意力层可以通过以下步骤计算得到。

（1）计算注意力系数 e_{ij}：

$$e_{ij} = \mathrm{attention}(\boldsymbol{W}\boldsymbol{n}_i, \boldsymbol{W}\boldsymbol{n}_j) = \mathrm{LeakyReLU}(\boldsymbol{a}^{\mathrm{T}}[\boldsymbol{W}\boldsymbol{n}_i \| \boldsymbol{W}\boldsymbol{n}_j]) \tag{9.4}$$

式中：$\boldsymbol{W}$ 为一个权重矩阵，$\boldsymbol{W} \in R^{F' \times F}$；$e_{ij}$ 为节点 i 对节点 j 的重要性；$\boldsymbol{n}_j$ 为第 j 个带属性的节点；注意力机制是一个单层前馈神经网络，由一个权值向量 $\boldsymbol{a} \in R^{2F'}$ 进行参数化；$\|$ 代表连接操作；$\mathrm{LeakyReLU}(\cdot)$ 是一个在 $x < 0$ 范围内斜率为 0.2 的非线性激活函数。

（2）为了方便比较不同节点之间的注意力系数，使用 $\mathrm{softmax}(\cdot)$ 对注意力系数进行标准化［图 9.2（a）］：

$$\alpha_{ij} = \mathrm{softmax}_j(e_{ij}) = \frac{\exp(e_{ij})}{\sum_{k \in N_i} \exp(e_{ij})} \tag{9.5}$$

式中：α_{ij} 为标准化的注意力系数；N_i 为节点 i 的邻居节点。

（3）使用归一化注意系数和原始节点特征向量的线性组合来计算最后的输出特征：

$$n_i' = \sigma\left(\sum_j \alpha_{ij} \boldsymbol{W} \boldsymbol{n}_j\right) \quad (9.6)$$

含有 p 个独立注意力机制的多头注意力机制实现转换后，输出可计算为

$$n_i' = \|_{p=1}^{p} \sigma\left(\sum_j \alpha_{ij}^p \boldsymbol{W}^p \boldsymbol{n}_j\right) \quad (9.7)$$

式中：α_{ij}^p 为第 p 个注意力机制计算的标准化注意力系数；$\boldsymbol{W}^p$ 为对应输入线性变换的权重矩阵。若网络的最终预测层使用多头注意力机制，需要使用非线性平均[图 9.2（b）]。

$$n_i' = \sigma\left(\frac{1}{P}\sum_{p=1}^{P}\sum_j \alpha_{ij}^p \boldsymbol{W}^p \boldsymbol{n}_j\right) \quad (9.8)$$

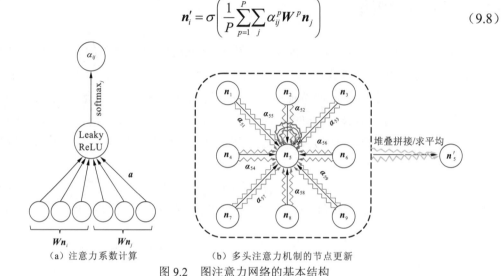

（a）注意力系数计算　　　　（b）多头注意力机制的节点更新

图 9.2　图注意力网络的基本结构

引自 Veličković 等（2018）

9.2　基于图神经网络的矿产资源潜力评价

9.2.1　案例介绍

本节以菲律宾碧瑶金矿找矿远景区圈定为案例，利用图神经网络对找矿证据图层（北东向断裂、北西向断裂、Agno 深成基岩体边缘带和斑岩侵入体接触带）进行集成融合，进而圈定金矿找矿远景区。研究区及数据介绍见 4.2.1 小节。

9.2.2　模型框架

图神经网络用于矿产资源潜力评价的原理与地球化学异常识别原理相同。基于图神经网络的矿产资源潜力评价框架见图 9.3。图卷积网络和图注意力网络分别由 4 层图卷积层和 4 层图注意力层组成，每层都使用 ReLU 作为激活函数以避免训练过程中的梯度消失，在每层网络后面都加一个 $P=0.5$ 的 dropout 层来防止过拟合。最后使用 log_softmax 函数进行分类，输出概率值实现矿产资源潜力评价。

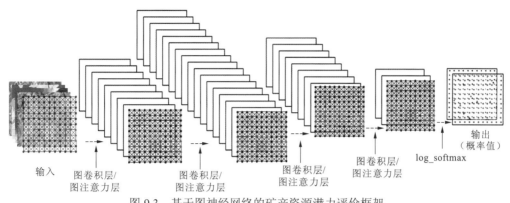

图9.3 基于图神经网络的矿产资源潜力评价框架

引自 Zuo 等（2023）

9.2.3 模型输入

图深度学习方法的优势为计算结果客观，能度量非线性特征，挖掘潜在的模式并且可以考虑空间拓扑关系。将大数据思维和图深度学习方法相结合，选择上述4种控矿地质要素作为图神经网络模型的输入。利用图神经网络对这些数据进行特征挖掘与集成，圈定金矿找矿远景区。

研究区域分为两部分：下半部分用于训练深度学习算法，上半部分用于测试预测模型。整个研究区有19个金矿床，上半部分和下半部分分别包含7个和12个金矿床。正样本根据已知矿床的位置生成，负样本在先前研究（Zuo et al.，2022）圈定的负异常区内随机选取。选取与正样本数目相同的12个负样本，以避免正、负样本数目不平衡的问题。利用基于地质约束的数据增强方法对训练区的样本进行扩充（方法介绍见 2.4.1 小节），并将其按照 8∶2 的比例划分为训练集和验证集。

数据输入格式见图 9.4。左边部分为用于菲律宾碧瑶地区金矿成矿预测的证据图层，包括北东向断裂、北西向断裂、Agno 深成基岩体边缘带和斑岩侵入体接触带，栅格大小为 100 m×100 m。右边部分为数据输入格式，每个栅格图层大小均为 243×171，将每个图层转化为包含 41 553 行的一维列向量。4 个证据图层最终转换为包含 41 553 行、4 列的特征向量，在输入模型时，还需要将通过拓扑图获取的节点间的邻接关系一并输入，对节点的信息进行聚合更新。

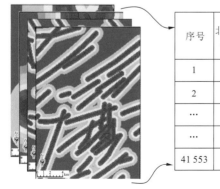

序号	北东向断裂	北西向断裂	Agno深成基岩体边缘带	斑岩侵入体接触带
1	0.47	0.86	0.33	0
2	0.58	0.89	0.48	0.35
…	…	…	…	…
…	…	…	…	…
41 553	0.73	0.93	0.68	0.39

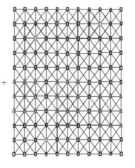

图 9.4 数据输入格式

9.2.4　模型训练

使用负对数似然函数来计算损失值（即输出概率值与目标值 0 或 1 的差值），并使用 Adam SGD 优化器来最小化损失值，优化 GAT、GAT*（GAT 的前两层是 $p=6$ 的多头图注意力网络）中的权重向量 a 和 GCN 与 GAT 中的权重矩阵 W。通过计算训练集和验证集上的准确度来评估权重向量 a 和权重矩阵 W 的好坏，进而得到最优的模型。模型的迭代次数设为 1000，学习率设为 0.001。模型在训练集和验证集上的损失函数及预测准确率表现见图 9.5 和图 9.6。

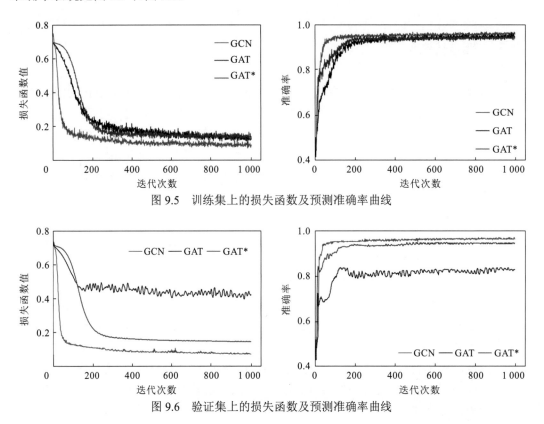

图 9.5　训练集上的损失函数及预测准确率曲线

图 9.6　验证集上的损失函数及预测准确率曲线

9.2.5　模型输出

分别将待预测数据输入已调试好的三种图神经网络模型，运行图神经网络代码（附录 16）获得菲律宾碧瑶地区金矿成矿远景区预测图（图 9.7）。基于图神经网络的矿产资源潜力评价的详细原理与技术流程，可参见 Zuo 等（2023）。

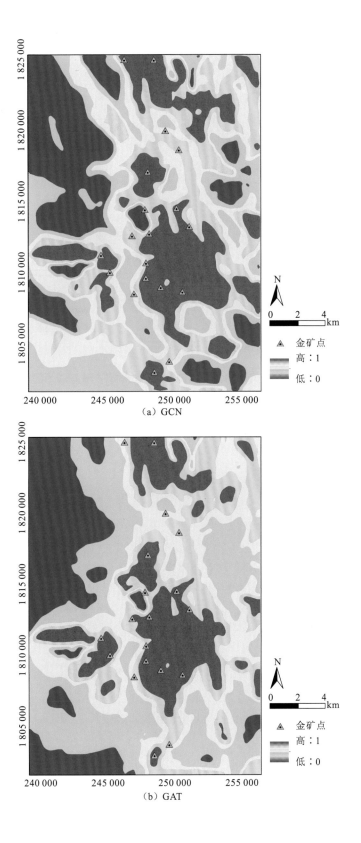

（a）GCN

（b）GAT

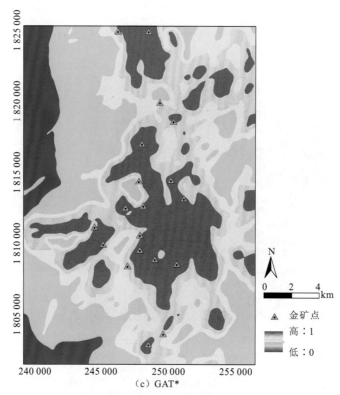

图 9.7　基于图神经网络 GCN、GAT 和 GAT*的矿产资源潜力评价结果

引自 Zuo 等（2023）

第10章　深度自注意力网络

深度自注意力网络指由自注意力层和非线性全连接层搭建起来的深度神经网络，基本思想是让模型自动学习输入特征的重要性权重，并基于此选择性地关注和处理输入特征，同时突出重要特征对后续模块或输出的影响，最终提升网络的特征提取和信息表征能力。本章将简要介绍（自）注意力机制的基本原理及自注意力层实现的数学基础，重点介绍基于深度自注意力网络的矿产资源潜力评价，以及模型输入、模型构建和模型输出等具体实现过程和步骤。

10.1　基　本　原　理

注意力机制起源于 20 世纪 90 年代认知神经科学领域关于人脑复杂认知功能的研究：在接收大量信息时，人类会选择性地关注有用信息并忽略无关信息，其中以视觉注意力最为典型。随后，研究人员通过构建处理图像数据时只关注图像重要区域的神经网络模型来降低计算复杂度，同时提高模型性能（Mnih et al.，2014；Larochelle et al.，2010；Itti et al.，1998），这是对人类注意力机制的初步模仿。Bahdanau 等（2014）在机器翻译模型中首次提出了一种计算与应用注意力系数的方法，被看作注意力机制在深度学习领域应用的起点。随后，注意力机制作为一种通用的模块，成为传统深度神经网络模型如卷积神经网络和循环神经网络构建中不可或缺的组件，在各类任务如图像识别、机器翻译和语音识别等领域均能有效提升模型的性能。Vaswani 等（2017）提出的 Transformer 模型及自注意力机制表明，基于自注意力机制构建的神经网络层可以成为独立于传统循环神经网络层和卷积神经网络层的第三种通用模型架构，是注意力机制在深度学习领域应用的里程碑。总的来说，注意力机制使神经网络能够选择性地接收和处理信息，能有效提升神经网络对数据的处理、分析和理解能力（张直政，2021）。

注意力机制在深度学习各个领域得到了广泛的应用，衍生出许多不同种类的扩展和变体。其中，自注意力机制是注意力机制的一种特殊形式，指仅在输入数据内部进行注意力的计算，因此能捕捉数据内部的关联性，实现全局信息的传递，起到优化特征向量表示的作用。自注意力层原理见图 10.1。在处理输入的序列数据时，自注意力层能通过计算注意力系数并行计算不同位置向量数据之间的相关性程度，将全局信息有选择地聚焦输出到不同向量数据中，起到特征优化的作用。具体实现步骤（图 10.2）包括：①使用点积运算或者余弦相似度等计算 f_i（i 分别为 1、2、3、4，表示 4 个证据图层）与 $F=[f_1,f_2,f_3,f_4]$ 之间的相关性系数，通常需构建权重矩阵 W 将 f_i 映射到一个新的向量空间（如 Q 和 K），然后分别计算 Q_i 与 K_1、K_2、K_3、K_4 之间的相关性系数，并用 softmax 函数归一化得到注意力权重系数 α；②使用 α 对 f_1、f_2、f_3、f_4（或者根据其映射的新的向量空间如 V）进行加权相加，得到注意力模块的输出 c_i（c_1、c_2、c_3、c_4）（图 10.1）。

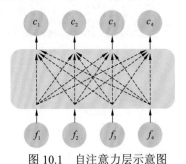

图 10.1　自注意力层示意图

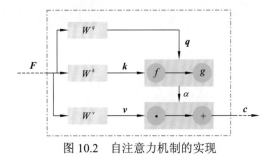

图 10.2　自注意力机制的实现

10.2　基于深度自注意力网络的矿产资源潜力评价

10.2.1　案例介绍

本节以菲律宾碧瑶金矿找矿远景区圈定为案例，利用深度自注意力网络对找矿证据图层（北东向断裂、北西向断裂、Agno 深成基岩体边缘带和斑岩侵入体接触带）进行特征提取与集成融合，进而圈定金矿找矿远景区。研究区及数据介绍见 4.2.1 小节。

10.2.2　模型框架

深度自注意力网络用于矿产资源潜力评价的原理与深度自编码网络一样，均是基于重构误差实现。不同的是，深度自编码网络通过编码-解码结构对数据进行重构，而深度自注意力网络通过堆叠自注意力层与传统非线性前馈神经网络层对序列数据进行相关性提取与融合来重构数据。成矿为稀有地质事件，研究区中成矿有利地段出现的概率较小，因而对该区域对应的证据图层数据重构能力较弱，会产生较大的重构误差；反之，研究区中成矿非有利地段出现的概率较大，对该区域对应的证据图层数据重构能力较强，会产生较小的重构误差。

本案例在 Bahdanau 等（2014）和 Zheng 等（2018）提出的注意力机制及基于自编码器的编码-解码结构（Hinton et al., 2006b）的基础上，使用 Python 包 Keras-self-attention 及 Keras 提供的神经网络层，构建纯粹基于自注意力机制的深度自注意力神经网络用于重构多源找矿数据，其核心是计算并可视化每个像素点的重构误差，最终用于指导找矿勘查。

基于深度自注意力网络的矿产资源潜力评价框架见图 10.3。从左至右分别为模型输入、网络结构和模型输出。深度自注意力网络通过对输入数据进行特征优化和非线性变换进行重构，得到输入数据的重构数据。计算输入数据与重构数据之间的重构误差后得到异常得分，将其可视化得到矿产资源潜力评价图。

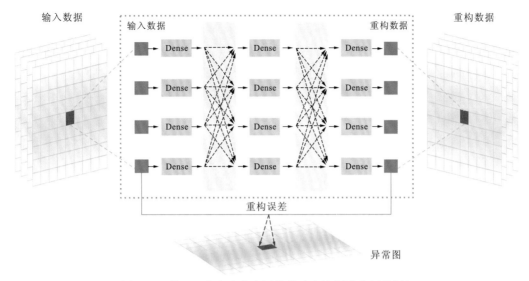

图 10.3　基于深度自注意力网络的矿产资源潜力评价框架

10.2.3　模型输入

选择 4 个与研究区金矿相关的证据图层（北东向断裂、北西向断裂、Agno 深成基岩体边缘带和斑岩侵入体接触带）作为深度自注意力网络模型的输入。数据输入格式见图 10.4，左边为 4 个证据图层，右边为数据输入的格式，每个栅格图层大小为 243×171，将每个图层转化为含有 41 553 行、4 列的特征向量，每次向深度自注意力网络中输入批处理大小的多行数据；每行数据的维度为 4，代表输入数据的序列步长，每步数据向量数目为 1。

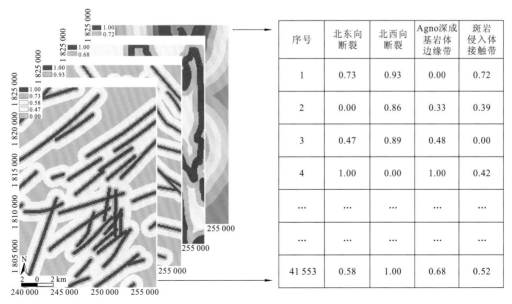

序号	北东向断裂	北西向断裂	Agno深成基岩体边缘带	斑岩侵入体接触带
1	0.73	0.93	0.00	0.72
2	0.00	0.86	0.33	0.39
3	0.47	0.89	0.48	0.00
4	1.00	0.00	1.00	0.42
...	...	...	...	...
...	...	...	...	...
41 553	0.58	1.00	0.68	0.52

图 10.4　数据输入格式

10.2.4　模型训练

深度自注意力网络的模型结构是通过反复试验（trial-and-error）确定的。影响深度自注意力网络性能的参数主要包括注意力类型、非线性神经层大小、自注意力层激活函数种类、批处理大小及迭代次数等。

1. 注意力类型

注意力类型指自注意力层计算自注意力系数所使用的方法。Python 包 Keras-self-attention 提供了 additive 和 multiplicative 两种计算注意力系数的方法。在选择其他不同超参数组合的情况下，分别使用 additive 和 multiplicative 作为计算自注意力系数的方法，发现 additive 方法下模型更易收敛。图 10.5 展示了不同情况下使用 additive 和 multiplicative 方法的训练效果对比。

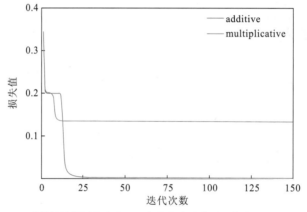

（a）非线性神经层大小为10，自注意力层激活函数为None（即不使用激活函数），批处理大小为64，迭代次数为150

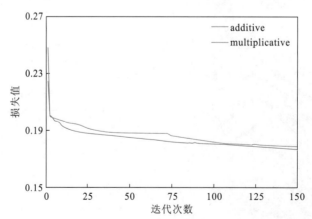

（b）非线性神经层大小为15，自注意力层激活函数为sigmoid，批处理大小为128，迭代次数为150

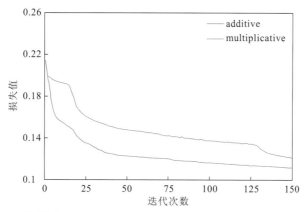

（c）非线性神经层大小为20，自注意力层激活函数为softmax，批处理
大小为32，迭代次数为150

图 10.5　两种计算注意力系数 additive 与 multiplicative 的训练效果对比

2. 非线性神经层大小

当固定注意力类型为 additive、自注意力层激活函数为 None、批处理大小为 64、迭代次数为 100 时，设置非线性神经层大小分别为 5、10、15 和 20，观察模型训练的结果（图 10.6）。由此可知，模型均能很快达到收敛，非线性神经层大小对模型训练影响较小。使用训练模型对全区进行预测，拟合度曲线（矿点频率−累积面积比）（图 10.7）表明，非线性神经层大小为 10 时模型性能最好，这说明虽然在不同神经元大小的情况下模型均能收敛，但在神经元较小（如 5）时，模型可能会由于参数不够而出现欠拟合；神经元较大（如 20）时，模型可能会由于参数过多而出现过拟合，因此非线性神经层大小选择为 10。

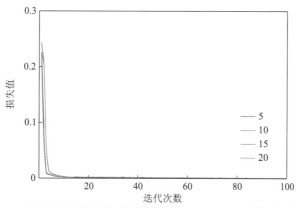

图 10.6　非线性神经层大小分别为 5、10、15 和 20 时模型训练结果

3. 自注意力层激活函数种类

当固定注意力类型为 additive、非线性神经层大小为 10、批处理大小为 64、迭代次数为 150 时，设置自注意力层激活函数分别为 None、ReLU、sigmoid 和 softmax，观察模型训练的过程（图 10.8），当自注意力层不使用激活函数（即为 None）时，模型表现最好。

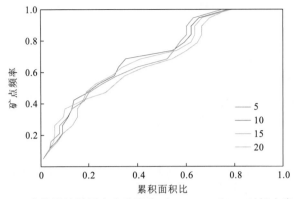

图 10.7 非线性神经层大小分别为 5、10、15 和 20 时拟合度曲线

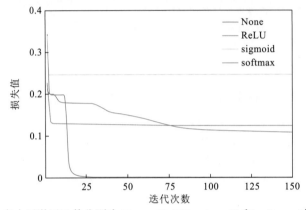

图 10.8 自注意力层激活函数分别为 None、ReLU、sigmoid 和 softmax 时模型训练结果

4. 批处理大小

当固定注意力类型为 additive、非线性神经层大小为 10、自注意力层激活函数为 None、迭代次数为 100 时，设置批处理大小分别为 32、64、128 和 256，观察模型训练的过程（图 10.9），发现模型均能较快收敛。同时从模型在拟合度曲线（图 10.10）上的表现可以看出批处理大小为 128 时模型性能较好，且一般情况下，增大批处理在一定程度上可以提高模型的泛化能力，但批处理过大可能会导致模型的泛化性能下降，因此选择批处理大小为 128。

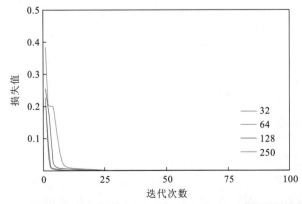

图 10.9 批处理大小分别为 32、64、128 和 256 时模型训练结果

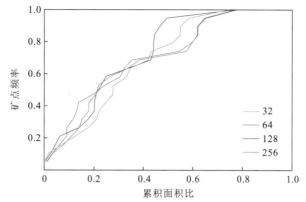

图 10.10　批处理大小分别为 32、64、128 和 256 时的拟合度曲线

5. 迭代次数

当固定注意力类型为 additive、非线性神经层大小为 10、自注意力层激活函数为 None、批处理大小为 128 时，设置迭代次数分别为 50、100 和 150，由模型训练曲线（图 10.11）发现模型均能很快达到收敛。同时，由拟合度曲线（图 10.12）可知，在迭代次数为 100 时模型表现最好，说明迭代次数为 50 和 150 时，对应的模型可能分别发生了欠拟合和过拟合。

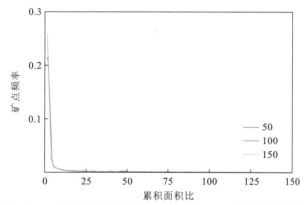

图 10.11　迭代次数分别为 50、100 和 150 时模型训练结果

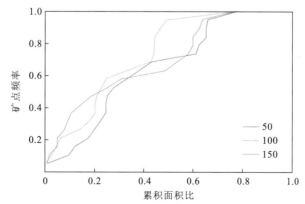

图 10.12　迭代次数分别为 50、100 和 150 时模型的拟合度曲线

10.2.5 模型输出

将全区数据输入已调试好的深度自注意力模型（注意力类型为 additive，非线性神经层大小为 10，自注意力层激活函数为 None，迭代次数为 100，批处理大小为 128）中，运行深度自注意力网络代码（附录 17），获得菲律宾碧瑶地区金多矿成矿远景区预测图（图 10.13）。基于深度自注意力机制的矿产资源潜力评价的详细原理与技术流程，可参见 Yin 等（2022）。

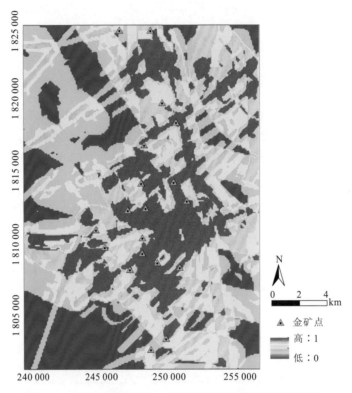

图 10.13 基于深度自注意力网络的矿产资源潜力评价结果

第 11 章　基于地质约束的深度学习

　　深度学习算法结构复杂、参数多，中间过程为黑箱，导致对未知数据解释能力欠佳，缺乏物理规律一致性，这制约了深度学习模型在矿致异常提取和矿产资源潜力评价中的进一步发展。本章将简要介绍物理约束的深度学习模型，并结合实际成矿地质背景，重点介绍地质约束深度学习模型的构建及其在地球化学异常识别和矿产资源潜力评价中的应用与实践过程。

11.1　地质约束深度学习概述

　　深度学习作为一种具有多级非线性变换的层级机器学习算法，可通过学习一种深层非线性网络结构，实现复杂函数逼近，以组合低层特征形成更加抽象的深层次表示属性或特征，从而达到高精度分类和预测的目的。区别于一般的神经网络，深度学习强调通过更深层次的网络模型来学习和提取样本特征，并采用逐层训练和反向传播优化的方式解决全局最优解问题，能够刻画常规方法无法发现的异常和模式，可学习到多源找矿信息与矿床之间复杂的时空耦合关系，已经应用于矿致异常识别和矿产资源潜力评价。

　　常规的基于纯数据驱动的深度学习方法，在科学问题推理中对训练数据拟合较好，然而由于深度学习结构复杂、参数多，中间过程为黑箱，导致对未知数据解释能力欠佳，缺乏物理规律一致性。因此，即使黑箱的深度学习模型在经过一系列的模型调参后可达到较高的预测与分类精度，但缺乏对物理机制及领域知识的表达能力，以及无法提供更多可靠的信息，严重制约了深度学习模型在矿致异常提取和矿产资源潜力评价中的进一步发展。物理模型（理论驱动）与深度学习模型（数据驱动）的有机融合可保证在不忽视物理机制及领域知识的情况下，利用深度学习模型从大量数据中学习新的模式和规律。基于物理约束的深度学习模型已在大气建模、蒸散发预测、湖泊温度建模、钻探地质风险评估等领域得到了广泛应用（Chen et al.，2020b；Hanson et al.，2020；Zhao et al.，2019；Xie et al.，2018）。目前基于物理约束条件构建深度学习损失函数是实现物理约束深度学习最有效的方法之一。本章提出的地质约束深度学习方法也是基于成矿规律构建深度学习损失函数的过程，下面将主要介绍基于成矿规律构建深度学习损失函数的详细流程。

11.2 地质约束深度学习方法构建

基于地质约束的深度学习方法构建是根据前人建立的岩浆热液矿床的数目与矿床离控矿要素距离之间的幂律函数，实现成矿规律的模型化与定量化，将定量化的成矿规律构建成深度学习模型的损失函数（图 11.1）。

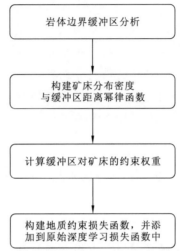

图 11.1　基于成矿规律构建深度学习损失函数的方法流程图

构建的具体实施步骤如下。

（1）选取地质要素，在 GIS 环境下进行缓冲区分析。根据矿床所在区域的地质特征，确定控矿要素的可能影响范围，从而确定缓冲区的间距和缓冲距离。以某地层接触带为例，设置缓冲间距为 1 km、缓冲距离为 10 km（图 11.2）。

（2）分别统计落在各层缓冲区上的矿床（点）数 n，并计算累计矿床数和矿床分布密度 ρ

$$\rho = \frac{\sum n}{d} \tag{11.1}$$

式中：d 为缓冲区的宽度。以缓冲区宽度 d 为横坐标，以矿床空间分布密度 ρ 为纵坐标，绘制双对数散点图并拟合直线（图 11.3），建立矿床分布密度与缓冲区距离的幂律函数

$$\rho = cx^{-a} \tag{11.2}$$

式中：c 为常数；a 为分形维数；x 为缓冲距离。

（3）上述幂律函数能够揭示矿床的空间分布密度 ρ 与矿床离控矿要素的距离 x 呈幂律衰减的规律。对步骤（2）中的幂律函数公式进行归一化处理，计算不同缓冲区对矿床形成的约束权重

$$w = \frac{cx^{-a}}{\rho_{\max}} \tag{11.3}$$

式中：$\rho_{\max}$ 为矿床分布密度最大值。离控矿要素越近的区域，成矿的潜力越大，权重越大；离控矿要素越远的区域，成矿的潜力越小，权重越小。本案例中，$\rho_{\max} = 14$，$w = 15.46x^{-0.36}/\rho_{\max} = 1.1x^{-0.36}$。

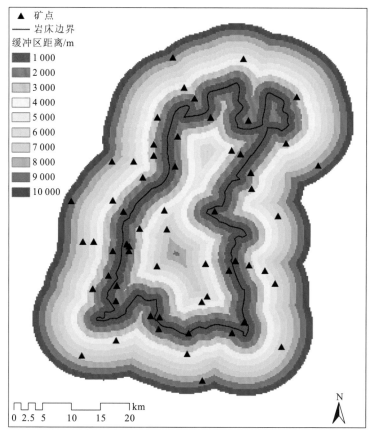

图 11.2　矿床边界缓冲区分析示例图

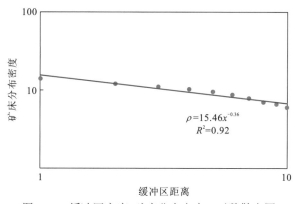

图 11.3　缓冲区宽度-矿床分布密度双对数散点图

（4）基于以上权重函数，构建如下基于地质约束的损失函数：

$$\mathrm{loss}_p = \| (x^i - f(x^i)) - w_p^i \|_2 \tag{11.4}$$

式中：x^i 为位置 i 处的证据图层数据；$f(x^i)$ 为 x^i 的重构数据；w_p^i 为位置 i 处的权重。如果研究区某位置出现成矿规律非一致性预测，则可对该位置基于权重 w_p^i 设置不同程度的误差惩罚项。对深度学习模型预测的离控矿要素越近的高异常区或离控矿要素越远的低异常区设置较小的误差惩罚项；反之，对于离控矿要素越近的低异常区或离控矿要素越远的高异常区，则设置较大的误差惩罚项。

（5）将地质约束损失函数以正则化项添加到原始深度学习模型（以深度变分自编码网络为例）的损失函数中

$$loss_{total} = loss_{vae} + \lambda loss_p \qquad (11.5)$$

式中：$loss_{total}$ 为地质约束深度学习总损失函数；$loss_p$ 为地质约束的损失函数；$loss_{vae}$ 为原始变分自编码网络的损失函数。构建基于地质约束深度学习的矿致异常识别模型（图11.4）。通过正则项系数 λ，权衡原始深度学习模型损失函数和地质约束损失函数的比重，进而对成矿规律非一致性预测做出惩罚。

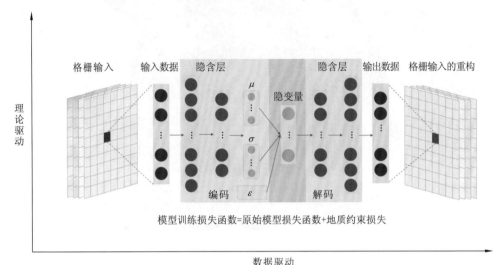

图11.4　基于地质约束深度学习的矿致异常识别模型

11.3　基于地质约束深度学习的地球化学异常识别

11.3.1　案例介绍

本节以赣南钨多金属矿多元地球化学异常识别为案例，研究区及数据介绍见 6.2.1 小节。

11.3.2　模型框架

将基于岩浆热液矿床数目与矿床离控矿要素距离之间的幂律函数构建的地质约束损失函数添加到变分自编码（variational auto-encoders，VAE）网络中，构建基于地质约束变分自编码网络的地球化学异常识别框架（图 11.5）。VAE 是一种将变分推理与深度学习结合的深度生成模型，与自编码网络由编码器与解码器两部分构成相似，VAE 假设隐变量服从高斯分布，利用两个神经网络建立两个概率密度分布模型：一个用于原始输入数据的变分推断，生成隐变量的变分概率分布，称为推断网络；另一个根据生成的隐变量变分概率分布，还原生成原始数据的近似概率分布，称为生成网络（Kingma et al.，2019）。利用变分自编码的生成特性，对地球化学数据进行重构，并基于重构概率对多元地球化学异常进行识别。

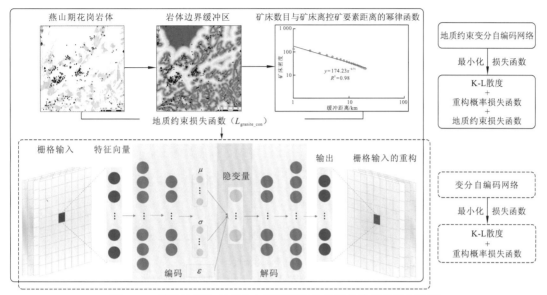

图 11.5　基于地质约束变分自编码网络的地球化学异常识别框架

引自 Xiong 等（2022b）

该框架使用概率编码器来模拟隐变量的分布，扩展了变分自编码网络的表现力，在处理具有相同平均值的正常数据和异常数据时，也可表征出数据间的差异。另外，该框架新增了地质约束损失函数，将原有变分自编码网络依赖最小化库尔贝克-莱布勒（Kullback-Leibler，K-L）散度和重构概率损失函数调整为依赖最小化 K-L 散度、重构概率损失函数和地质约束损失函数。基于此，模型在对输入数据进行重构的过程中，顾及了矿床的空间分布规律与控矿要素之间的相关关系，并过滤了与区域成矿规律不一致的结果，既可保证地球化学异常识别的精度，又保证了识别结果与成矿规律的一致性。

11.3.3　模型输入

选取与研究区钨多金属矿成矿相关的 5 种元素（W、Sn、Mo、Bi 和 Ag）作为地质约束变分自编码网络的输入，数据组织结构为 112896（行）×5（列）的特征向量。每次可以向地质约束变分自编码网络中逐行输入一条数据或者批次输入多条数据。

11.3.4　模型训练

变分自编码网络的调参方法与 5.2.4 小节中深度自编码网络类似，需要重点调节的参数是网络深度及潜在变量维度。不同于深度自编码网络参数优化的量化指标为重构误差，本小节选择 ROC 曲线及曲线下方面积（AUC）作为参数选取的量化指标。选择不同网络深度（2、3、4、5 和 6），计算异常提取结果的 AUC 值（图 11.6）。可以看出，网络深度为 3 时，AUC 值最大，因此针对本案例，将网络深度设置为 3。设置不同潜在变量 z 的维度，计算异常提取结果的 AUC 值变化（图 11.7）。当潜在变量 z 的维度为 4 时，AUC 值达到最大，结合变分自编码对称结构，可将各隐含层节点个数分别设置为 16、8、4、8 和 16。

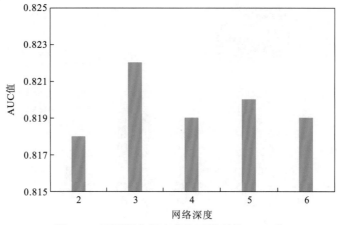

图 11.6　不同网络深度变化下模型的 AUC 值

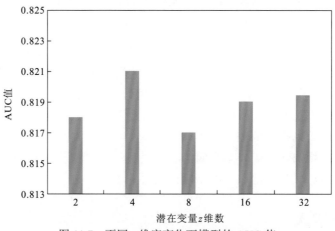

图 11.7　不同 z 维度变化下模型的 AUC 值

除此之外，地质约束变分自编码网络还包含一个重要的参数，即权衡标准 VAE 损失和地质约束损失之间比重的正则化系数 λ。λ 值越大，表明提取的异常与花岗岩岩体相关性越强。图 11.8 为取不同 λ 值（0.2、0.4、0.6、0.8 和 1.0）时提取的地球化学异常图。可以看出随着正则化系数的增大，提取的异常与已知花岗岩岩体的空间相关性越大。图 11.9 为取不同 λ 值时识别的异常与已知矿点的拟合度曲线图，可以看出当 $\lambda=1$ 时，识别的异常与已知矿点具有最高的拟合度，因此本案例中正则化系数 λ 设置为 1。

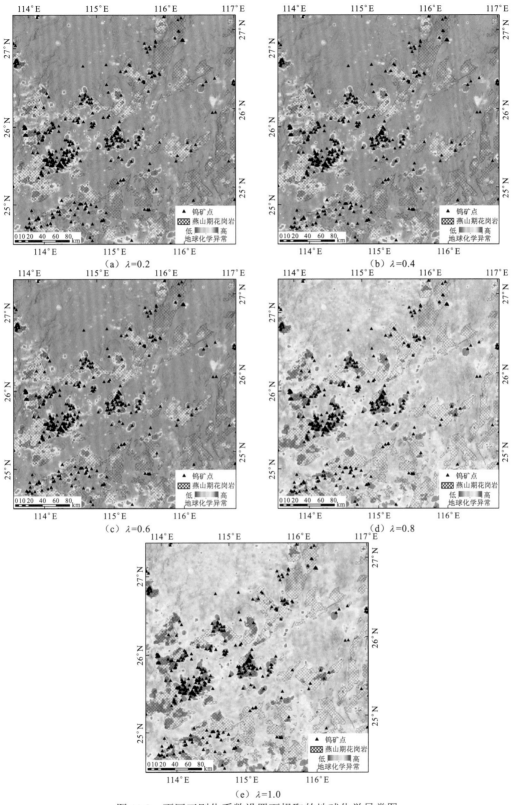

图 11.8　不同正则化系数设置下提取的地球化学异常图

引自 Xiong 等（2022b）

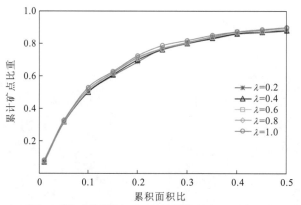

图 11.9　不同正则化系数设置下识别的异常与已知矿点的拟合度曲线

11.3.5　模型输出

利用地质约束变分自编码网络对每条输入数据进行编码与解码，进而得到对应的重构数据。运行地质约束变分自编码网络代码（附录 18），计算原始数据与重构数据之间的重构概率作为地球化学异常得分，最终得到钨多金属矿多元地球化学异常图（图 11.10）。基于地质约束深度学习地球化学异常识别的详细原理与技术流程，可参见 Xiong 等（2022b）和 Zhang 等（2022）。

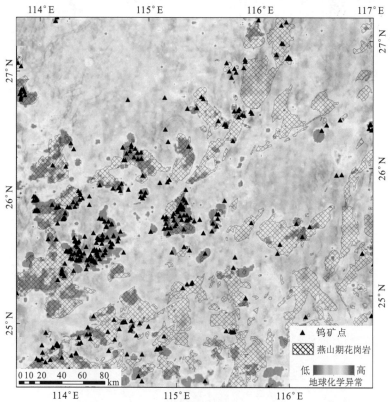

图 11.10　基于地质约束变分自编码网络的钨多金属矿多元地球化学异常图

引自 Xiong 等（2022b）

11.4 基于地质约束深度学习的矿产资源潜力评价

11.4.1 案例介绍

本节以菲律宾碧瑶地区金矿找矿远景区圈定为案例,研究区及数据介绍见 4.2.1 小节。

11.4.2 模型框架

基于地质约束变分自编码网络的找矿远景区圈定框架如图 11.11 所示。该框架具有两层深度网络模型,其中编码器和解码器呈对称结构,隐含层神经元数量设置为 24、12、6、12 和 24(Zuo et al.,2022)。将研究区最重要的控矿要素(斑岩侵入接触带)与矿床之间的空间相关性(具体步骤见 7.2 节)作为地质认知,约束变分自编码网络模型的学习过程。通过正则化公式,将构建的地质认知图层与深度变分自编码网络训练过程中产生的重构概率共同构成惩罚项,并与原有的重构概率损失函数及 K-L 散度构成新的损失函数来约束模型,获得与成矿规律一致性的结果。构建的地质约束变分自编码模型可有效调整与约束斑岩体内部和远离斑岩侵入接触带的高概率区域,以及斑岩侵入体接触带周边的低概率区域的预测值,使模型预测的高概率区尽量位于斑岩侵入体接触带周边,而低概率区尽量远离斑岩侵入接触带,达到输出的成矿潜力图更符合地质认识的目的。

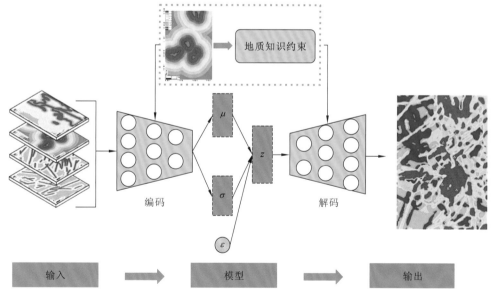

图 11.11 基于地质约束变分自编码网络的找矿远景区圈定框架

引自 Zuo 等(2022)

11.4.3 模型输入

将研究区与金矿成矿相关的北东向断裂、北西向断裂、Agno 深成基岩体边缘带及斑岩侵入体接触带这 4 个证据图层作为地质约束变分自编码的输入，同时将斑岩侵入接触带图层作为地质约束构建模型损失函数。数据介绍和证据图层制作见 4.2.3 小节。

11.4.4　模型训练

模型训练涉及的超参数有批处理大小、迭代次数及初始学习率。以 ROC 曲线和 AUC 值为量化指标对参数进行优选。由图 11.12 可知，当批处理大小为 64、网络深度为 2 时，AUC 值最高，证明网络模型性能在该参数下较为优越。同时，随着迭代次数增加，神经网络中权重的更新次数也增加，曲线从欠拟合变成过拟合。从图 11.13 可以看出，随着迭代次数增加，目标函数值逐渐收敛，当迭代次数为 3 000 时，认为训练结果较好。因此，模型训练的批处理大小、训练迭代次数及初始学习率分别设置为 64、3 000 和 0.003。

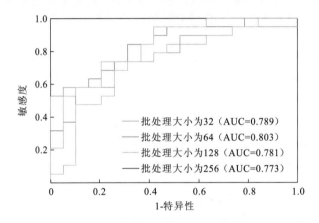

图 11.12　不同批处理大小下模型的 ROC 曲线及 AUC 值

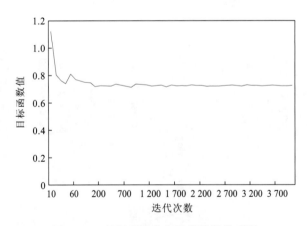

图 11.13　目标函数值与迭代次数关系图

11.4.5　模型输出

运行地质约束变分自编码网络代码（附录 18），将输出的原始数据与重建数据之间的重构概率作为金矿找矿远景区（图 11.14）。大多数金矿点位于高重建概率区域周围，且后者和斑岩侵入体有较强的空间相关性，达到地质约束的目的。基于地质约束深度学习矿产资源潜力评价的详细原理与技术流程，可参见 Zuo 等（2022）。

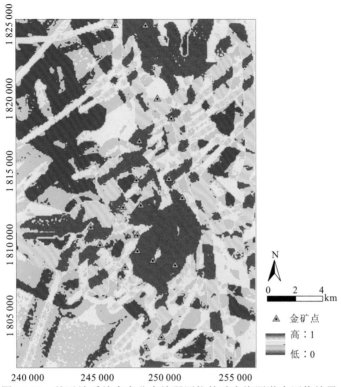

图 11.14　基于地质约束变分自编码网络的矿产资源潜力评价结果

引自 Zuo 等（2022）

第 12 章　计算机集群

本章将简要介绍如何基于计算机集群搭建深度学习模型，并以实际案例介绍在计算机集群中创建账号、登录、数据上传与下载、模型搭建、TensorFlow 程序运行、作业调度、结果输出等具体的操作步骤。

12.1　计算机集群概述

计算机集群是由一组相互独立的计算机组成的高性能计算系统。集群中单个计算机称为节点，一般通过局域网连接，目的是将计算任务分配到集群的不同计算节点，通过并行计算来提高计算能力、效率和可靠性。

案例采用的计算机集群位于中国地质大学（武汉）固体地球科学大数据研究中心，该计算机集群配置包含 15 个 CPU 节点，每个节点 128 个物理核心，256 线程，256 G 内存；1 个 GPU 节点，含 4 个 32 GB GPU 显卡，88 个 CPU 物理核心数；共享内存 4 T，并行存储 42 T；操作系统为基于 Linux 开发的 CentOS。

12.2　基于计算机集群和卷积神经网络的地质填图

12.2.1　案例介绍

本节以西秦岭甘肃大桥地区地质填图为案例，基于水系沉积物地球化学数据和卷积神经网络模型对 7 种岩性单元的空间特征进行学习并开展岩性分类工作。研究区数据介绍及卷积神经网络模型框架见 3.6.1 小节。

12.2.2　集群登录

用户使用高性能计算集群，首先需要登录集群节点 login。Linux 用户可以直接在命令行终端中执行 SSH 命令进行登录，Windows 用户可以使用 SSH Secure Shell Client、PuTTY、SecureCRT、Xshell 等终端 Linux 连接工具进行登录。本案例基于 Windows 操作系统，以 Xshell 客户端为例简要介绍如何连接并使用计算机集群。

（1）分配网关 IP 地址。使用网线连接 PC 主机和计算机集群，建立局域网连接，并对主机分配固定 IP 地址（【网络和 Internet】->【网络和共享中心】->【以太网】->【属性】->【Internet 协议版本 4（TCP/IPv4）】->【使用下面的 IP 地址】）。固定 IP 地址和子网掩码需咨询管理员（图 12.1）。

图 12.1　分配网关 IP 地址

（2）登录集群并新建任务。第一步，打开 Xshell 客户端，新建一个会话，填写会话名称（如 CNN 矿产预测）。主机部分添加高性能集群登录节点的 IP 地址或域名（需管理员授权），SSH 登录端口号一般选择默认端口 22（图 12.2）。第二步，点击用户身份验证，输入登录的用户名及密码（需管理员授权）（图 12.3）后登录集群，登录成功后的命令行界面见图 12.4。

图 12.2　新建会话窗口

图 12.3　验证用户身份

图 12.4　登录成功的命令行显示

12.2.3　数据上传和下载

　　Windows 用户可以使用 SSH Secure Shell Client、winscp、Xftp 等安全文件传送协议（secure file transfer protocol，SFTP）软件实现文件的上传与下载。下面以 Xftp 为例介绍文件上传和下载的方法。Xftp 是 Xshell 软件中用来进行文件传输的一个插件，可以与

Xshell 搭配使用。使用 Xshell 登录到集群后，点击工具栏上的文件夹图标可直接打开 Xftp 文件传输的窗口（图 12.5）。窗口左侧为本机的文件存储空间，右侧为连接的高性能计算机集群的文件存储空间，可直接拖动文件进行互相传输。

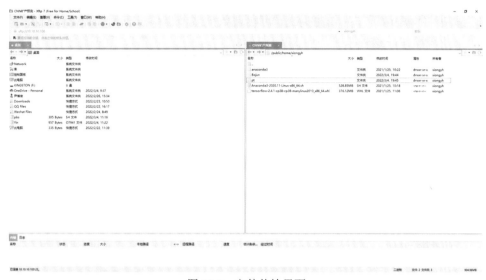

图 12.5 文件传输界面

在计算机集群的桌面端新建一个文件夹用来保存数据（比如"Mongu"），将打包好的代码和数据传输到计算机集群新建文件夹中。除了使用 Xftp，在命令行中使用"rz"（上传文件）和"sz"（下载文件）命令也可以进行小文件的上传和下载。

12.2.4 程序运行

程序运行所需的 Python 软件及 conda 环境需提前安装和配置，相关事项可咨询管理员。运行程序中读取数据的路径应提前修改为计算机集群的文件路径。

方法一：进入代码所在的文件夹，直接使用 Linux 命令运行基于卷积神经网络的地质填图代码（附录 8）。

```
cd pt/Mongu
python jiqun.py
```

该方法仅用于单节点任务提交，需要首先登录到相关计算节点。运算过程中不能退出本地登录界面，否则程序将自动终止。

方法二：使用作业调度系统 PBS（portable batch system，一种作业调度系统）的 qsub 命令来运行 CNN 代码。

```
cd pt/Mongu
qsub pbs.sh
```

该方法可以跨节点进行并行计算，支持后台运行，因此可退出本地登录界面。该方法需要另外编写一个作业脚本 pbs.sh，用于声明节点及计算资源信息，脚本编写方法见12.2.5 小节。

12.2.5 作业调度

如果程序运行时间较长、任务规模较大或多任务同时处理，用户可以使用 PBS 的 "qsub"命令将程序运行作为作业提交，可实现队列或节点信息查询、作业运行状态查询和删除作业等操作。这种基于作业调度系统的运算模式，是集群系统普遍使用和推荐的工作方式，它可以确保计算集群和登录终端的高度独立性，便于监控与管理运行程序和计算机集群资源分配。

用户运行程序的命令及 PBS 环境变量设置组成 PBS 作业脚本，提交格式与内容如下（PBS 指令以"#PBS"开头）。

```
#!/bin/bash
#PBS -N PT
#PBS -l  nodes=gpu1:gpus=4
#PBS -l walltime=240:00:00
#PBS -j oe
#PBS -q gpu
```

```
#enter job's working directory
cd $HOME/pt/Mongu/
echo $PBS_NODEFILE
echo "the job start at :${STARTTIME}"
python jiqun.py
echo "the job start at :${STARTTIME}"
echo "the job end at :${ENDTIME}"
```

可根据算例规模的大小合理估算所需的时间和内存，将其提前写进作业脚本里，这样有助于更快、更有效地分配资源。执行 PBS 作业脚本后，系统会自动分配一个作业名，例如本次分配作业名为 7981.admin。

```
(base) [xiongyh@admin Mongu]$ qsub pbs.sh
7981.admin
```

输入"pestat"查询队列信息。

```
(base) [xiongyh@admin Mongu]$ pestat
    node       state   load    phymem   ncpus   allmem  resi    usrs    tasks   jobidlist
    comput1    free    0.85*   257607   128     290375  4772    4/2     0
    comput2    free    62.30*  257607   128     290375  95856   5/3     64      7982 wangzs
    comput3    free    0.30    257607   128     290375  4748    4/2     0
    comput4    free    0.54*   257607   128     290375  4585    4/2     0
    comput5    free    0.33    257607   128     290375  4872    4/2     0
    comput6    free    0.06    257607   128     290375  4567    4/2     0
    comput7    free    0.20    257607   128     290375  4921    4/2     0
    comput8    free    0.08    257607   128     290375  4597    4/2     0
    comput9    free    0.09    257607   128     290375  4784    4/2     0
    comput10   free    0.66*   257607   128     290375  4760    0/0     0
    comput11   free    0.14    257607   128     290375  4547    4/2     0
    comput12   free    0.18    257607   128     290375  5203    4/2     0
    comput13   free    0.09    257607   128     290375  4952    4/2     0
    comput14   free    0.31    257607   128     290375  4825    4/2     0
    comput15   free    0.80*   257614   128     290382  4733    4/2     0
    gpu1       free    1.82*   257414   44      290182  6993    7/5     1       7983 xiongyh
```

输入"ssh gpu1"和"nvidia-smi"查询 CPU 和 GPU 节点信息。

```
(base) [xiongyh@admin Mongu]$ ssh gpu1
Last login: Mon Mar 14 19:50:47 2022 from admin
(base) [xiongyh@gpu1 ~]$ nvidia-smi
Wed Mar 16 17:24:48 2022
+-----------------------------------------------------------------------------+
| NVIDIA-SMI 450.80.02    Driver Version: 450.80.02    CUDA Version: 11.0     |
|-------------------------------+----------------------+----------------------+
| GPU  Name        Persistence-M| Bus-Id        Disp.A | Volatile Uncorr. ECC |
| Fan  Temp  Perf  Pwr:Usage/Cap|         Memory-Usage | GPU-Util  Compute M. |
|                               |                      |               MIG M. |
|===============================+======================+======================|
|   0  Tesla V100S-PCI...  Off  | 00000000:DA:00.0 Off |                    0 |
| N/A   33C    P0    22W / 250W |      0MiB / 32510MiB |      0%      Default |
|                               |                      |                  N/A |
+-------------------------------+----------------------+----------------------+
|   1  Tesla V100S-PCI...  Off  | 00000000:DB:00.0 Off |                    0 |
| N/A   32C    P0    26W / 250W |      0MiB / 32510MiB |      0%      Default |
|                               |                      |                  N/A |
+-------------------------------+----------------------+----------------------+
|   2  Tesla V100S-PCI...  Off  | 00000000:DC:00.0 Off |                    0 |
| N/A   31C    P0    24W / 250W |      0MiB / 32510MiB |      0%      Default |
|                               |                      |                  N/A |
+-------------------------------+----------------------+----------------------+
|   3  Tesla V100S-PCI...  Off  | 00000000:DD:00.0 Off |                    0 |
| N/A   32C    P0    24W / 250W |      0MiB / 32510MiB |      0%      Default |
|                               |                      |                  N/A |
+-------------------------------+----------------------+----------------------+

+-----------------------------------------------------------------------------+
| Processes:                                                                  |
|  GPU   GI   CI        PID   Type   Process name            GPU Memory       |
|        ID   ID                                             Usage            |
|=============================================================================|
|  No running processes found                                                 |
+-----------------------------------------------------------------------------+
```

输入"qstat -an"查询作业运行状态。

```
(base) [xiongyh@gpu1 ~]$ qstat -an

admin:
                                                            Req'd   Req'd      Elap
Job ID          Username   Queue      Jobname      SessID NDS  TSK Memory  Time  S Time
--------------- ---------- ---------- ------------ ------ ---- --- ------ ----- - -----
7982.admin      wangzs     batch      wzs           85499    1   64 200gb 240:00:00 R 35:05:00
   comput2/0+comput2/1+comput2/2+comput2/3+comput2/4+comput2/5+comput2/6
   +comput2/7+comput2/8+comput2/9+comput2/10+comput2/11+comput2/12+comput2/13
   +comput2/14+comput2/15+comput2/16+comput2/17+comput2/18+comput2/19
   +comput2/20+comput2/21+comput2/22+comput2/23+comput2/24+comput2/25
   +comput2/26+comput2/27+comput2/28+comput2/29+comput2/30+comput2/31
   +comput2/32+comput2/33+comput2/34+comput2/35+comput2/36+comput2/37
   +comput2/38+comput2/39+comput2/40+comput2/41+comput2/42+comput2/43
   +comput2/44+comput2/45+comput2/46+comput2/47+comput2/48+comput2/49
   +comput2/50+comput2/51+comput2/52+comput2/53+comput2/54+comput2/55
   +comput2/56+comput2/57+comput2/58+comput2/59+comput2/60+comput2/61
   +comput2/62+comput2/63
7983.admin              xiongyh    gpu        PT            74131    1    4   -- 240:00:00 R 00:03:02
   gpu1/0
```

输入"qdel 7983.admin"删除作业。

```
(base) [xiongyh@gpu1 ~]$ qdel 7983.admin
(base) [xiongyh@gpu1 ~]$ qstat -an

admin:
                                                            Req'd   Req'd      Elap
Job ID          Username   Queue      Jobname      SessID NDS  TSK Memory  Time  S Time
--------------- ---------- ---------- ------------ ------ ---- --- ------ ----- - -----
7982.admin      wangzs     batch      wzs           85499    1   64 200gb 240:00:00 R 35:06:06
   comput2/0+comput2/1+comput2/2+comput2/3+comput2/4+comput2/5+comput2/6
   +comput2/7+comput2/8+comput2/9+comput2/10+comput2/11+comput2/12+comput2/13
   +comput2/14+comput2/15+comput2/16+comput2/17+comput2/18+comput2/19
   +comput2/20+comput2/21+comput2/22+comput2/23+comput2/24+comput2/25
   +comput2/26+comput2/27+comput2/28+comput2/29+comput2/30+comput2/31
   +comput2/32+comput2/33+comput2/34+comput2/35+comput2/36+comput2/37
   +comput2/38+comput2/39+comput2/40+comput2/41+comput2/42+comput2/43
   +comput2/44+comput2/45+comput2/46+comput2/47+comput2/48+comput2/49
   +comput2/50+comput2/51+comput2/52+comput2/53+comput2/54+comput2/55
   +comput2/56+comput2/57+comput2/58+comput2/59+comput2/60+comput2/61
   +comput2/62+comput2/63
7983.admin              xiongyh    gpu        PT            74131    1    4   -- 240:00:00 C  --
   gpu1/0
```

12.2.6 结果输出

程序运行结束后，输出预测的岩性单元类别（"result.csv"）及记录模型训练过程的文件（PT.o7944）（图 12.6）。将输出的预测结果在 ArcGIS 中进行制图（图 12.7），得到研究区的岩性分类图。本章主要对集群使用进行介绍，暂不对预测结果进行分析。

图 12.6 程序运行结果产生文件截图

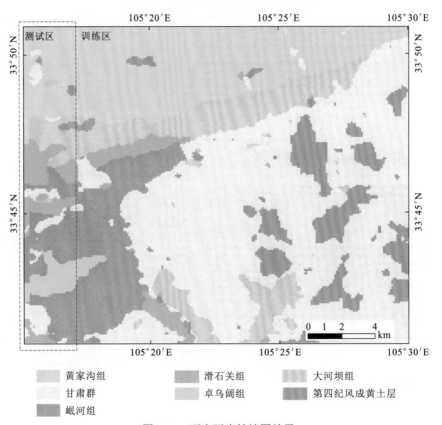

图 12.7 研究区岩性填图结果

第 13 章 展 望

近年来，随着大数据和深度学习的快速发展，矿产勘查与评价领域开始受到重视，使矿产资源潜力评价进入智能化时代成为可能。大数据带来了科研方法的变革，正成为科学发现新引擎，将改变地质学家的思维方式，为地质学的发展带来全新的面貌（翟明国 等，2018）。本章将重点剖析矿产资源潜力智能评价面临的挑战与进一步研究方向，包括数据与知识双重驱动的大数据矿产预测、矿产资源潜力评价知识图谱构建和基于深度学习开展矿产资源潜力智能评价的关键技术等。

13.1 数据与知识双重驱动的大数据矿产预测

当前矿产资源潜力智能评价大多属于数据驱动方法，主要关注找矿信息与矿床之间的空间相关关系，忽视了它们之间的成因联系，这使得矿产预测模型的泛化能力弱、可移植性差、预测结果难以解释。因此，亟须发展兼顾知识驱动（矿床成因模式）与数据驱动的大数据矿产预测理论与方法。

数据与知识双重驱动的大数据矿产预测是指在成矿动力学背景和成矿规律研究的基础上，建立矿产预测模型，构建能表达控矿要素和找矿标志的地质找矿大数据，搭建基于地质知识约束的深度学习模型，把地质找矿大数据转化成地质找矿信息，进而构建地质找矿知识，最后将其转化为矿产预测评价准则。其核心是如何将矿床成因模式知识融合到深度学习模型中，建立数据和知识深度融合的大数据矿产预测深度学习模型，实现深层次、难识别找矿信息的提取和具有复杂时空耦合关系的多源找矿信息的集成融合。数据与知识双重驱动的大数据矿产预测最新研究方向有：①地质找矿信息与矿床成因知识之间的耦合关系；②地质找矿大数据与控矿要素和找矿标志的逻辑与映射关系；③多源找矿信息集成融合及其深层次、难识别找矿信息提取的深度学习模型；④兼顾地质找矿大数据和矿床成因知识双重驱动的大数据矿产预测深度学习模型。

要实现数据与知识双重驱动的大数据矿产预测，需要从两个层面着手。

一方面，构建能表达数据和知识双重驱动的地质找矿大数据。当前矿产资源潜力评价主要以找矿模型为指导，通常收集能够反映研究区地层-岩体-构造-物化探异常信息的显式数据（空间相关图层），如地质、重力和航磁、水系沉积物及遥感影像等。这些显式的找矿信息往往忽略了反映控制矿床形成的重大地质事件和深部过程的隐式数据（成因联系图层），如硫同位素比值分布、成矿流体包裹体均一温度分布，以及反映矿床保存变化的区域剥蚀和隆升程度等数据。因此，亟须将隐式数据融入矿产潜力评价中，丰富双重驱动模型中的知识驱动要素，构建既能反映地质环境、地球化学特征、地球物理特征、遥感影像特征、围岩蚀变等找矿信息的找矿模型，又能反映与矿床形成有关的重大地质事件和深部过程等信息的数据和知识双重驱动的地质找矿大数据。

另一方面，需要将地质认知和成矿规律加入矿产预测模型，尤其是加入深度学习模型，搭建基于地质认知和成矿规律的深度学习矿产预测模型。如在成矿系统和找矿模型研究的基础上，建立矿床空间分布规律的数学模型和矿化蚀变分带模式模型。采用 GIS 技术分析矿床的空间分布与控矿要素（如地层、构造、岩浆岩等）的空间关系，建立矿床的空间分布密度与控矿要素距离的数学模型，对研究区中不同位置赋予不同的权重值，使得离控矿要素越近的区域赋值越大，离控矿要素越远的区域赋值越小。同时，结合研究区矿化蚀变分带模式，将不同的矿化蚀变带看作基于知识的"缓冲区"，对不同蚀变分带赋予不同的权重。在此基础上，将建立的矿床空间分布规律的数学模型和矿化蚀变分带模式模型与深度学习模型相结合，通过正则化公式确定误差惩罚项，以此构建基于矿床空间分布规律和矿化蚀变分带模式的深度学习模型损失函数（图 13.1）。该损失函数使深度学习模型在反向传播过程中受矿床的空间分布规律和矿化蚀变分带约束，可提升基于深度学习模型的找矿信息挖掘与集成的成效和结果的可解释性。

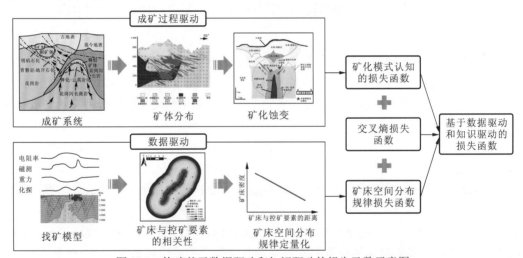

图 13.1 构建基于数据驱动和知识驱动的损失函数示意图

13.2 矿产资源潜力评价知识图谱构建

矿产资源潜力评价积累了大量的文献和地质观测数据，其中蕴藏着对成矿模型和找矿模型的丰富认知。目前，地质矿产领域大数据往往以关系数据库或者相对独立文件的形式进行存储。关系数据库的弱语义、相对独立存储文件的信息孤岛和封闭性导致隐藏在地矿领域大数据中的成矿模式和找矿模型知识很难自动获取，需要耗费大量的人力资源进行收集与整合（王成彬 等，2018；Wang et al.，2018a，2018b）。随着知识图谱、自然语言处理技术和深度学习技术的发展，从非结构性文本数据中获得结构性的三元组信息成为可能。但在矿产资源潜力评价知识图谱构建过程中，还存在以下挑战。

（1）地质文本数据分析技术。结合深度学习和自然语言处理的地学领域实体识别虽然是目前的研究热点，但受训练数据和模型参数优化的制约，其性能与传统的字典匹配等技术相比，并没有明显的技术提升。自然语言处理是构建知识图谱的重要手段，在非结构性实体-语义关系的提取过程中，现有的研究主要侧重模型方法的应用，实体识别的类型也局限在位置、地层、年代、矿物、岩石类型和蚀变等方面。而且大多数的研究案例提取的实体类型较少，报道的模型实体识别精度为76%~94.14%，甚至低于字典匹配方法，导致所构建的知识图谱不足以支持矿产资源潜力评价工作（Qiu et al.，2019；Enkhsaikhan et al.，2018；Wang et al.，2018a；Luo et al.，2017；Huang et al.，2015）。

（2）矿产资源潜力评价领域知识图谱边界的确定及知识层的构建。如针对矿床领域，姚健鹏等（2017）在铜矿成因模型基础上，结合叙词表构建铜矿领域本体模型。欧洲多国地质调查局合作构建矿产资源时空信息和商品属性的领域本体模型，开发了欧洲矿物原材料智能平台（Ziébelin et al.，2018）。Mentes（2012）设计开发了矿床勘查领域的本体模型。李元君（2021）和 Wang 等（2021）从自然语言处理和矿床包含信息类型的角度设计斑岩型铜矿领域本体模型。目前设计的本体模型多侧重于矿床成因模型、经济属性或勘查方法组合，并不能直接作为矿产资源潜力评价领域知识图谱的知识层。

因此，为实现矿产资源潜力智能评价过程中的智能认知，构建矿产资源潜力评价的"智脑"，未来需要在研究成矿模式和找矿模型的基础上，解决自上而下构建矿产资源潜力评价领域知识图谱存在的技术难题。例如，基于专家知识限定矿产资源潜力评价领域知识图谱构建的边界及相应的本体模型；在本体模型指导下，有效地构建实体及关系的标注体系；构建适用于矿产资源潜力评价领域非结构文本信息实体-语义信息的代表性训练语料；提升基于深度学习的实体-语义关系识别性能，尤其是针对众多标签的模型的识别能力；如何实现领域知识图谱驱动能力，驱动人工智能算法对地质找矿时空大数据进行深度挖掘与集成融合。

13.3 深度学习模型构建

地质找矿大数据的数据标签（矿床数）少，矿床的空间特征具有多样性和空间异质性，导致深度学习模型用于矿产资源潜力评价时会遇到训练样本少和模型构建难等难题。

（1）训练样本少。监督的深度学习方法，如卷积神经网络，要得到较好的矿产资源潜力评价结果，需要大量的训练样本。成矿作用属于稀有地质事件，已知矿床（正样本）数量稀少，不能满足监督学习对训练样本量的要求，导致模型的准确率低且泛化能力差，预测效果不理想。如何构建大量含标签的训练样本是基于监督深度学习的深层次找矿信息集成融合的一个挑战（左仁广 等，2021）。数据增强方法可通过合成或转换等方式扩增训练样本（Perez et al.，2017）。在图像识别领域，常采用仿射变换（如缩放、旋转、位移等）、图像处理方法（如对比度变换、光照色彩变换）、添加噪声等数据增强方法构建训练样本。Li 等（2021a）利用随机添加噪声的方法，将 19 个正样本增加到 1 900个，用于卷积神经网络的训练。Parsa（2021）提出基于迭代窗口的数据增强技术生成模型训练的标签样本数据。除此之外，Zhang 等（2021b）引入像素对匹配方法，对卷积神经网络训练样本进行了扩充。Xu 等（2021）提出利用连续的概率值代替标签数据，用于深度回归神经网络的训练，减小了矿产资源潜力评价因训练样本不足而引入的不确定性。

（2）模型构建难。深度学习模型结构复杂、参数多，导致模型构建难，如何调节与优化深度学习模型参数，使模型性能达到最优且稳定的状态，进而找到适合找矿信息智能挖掘与集成的深度学习模型，是目前面临的又一重要挑战（左仁广 等，2021）。深度学习模型需要优化的超参数数量多、选择空间大，若单纯使用某一种优化方法（如人工搜索、网格搜索等）往往会消耗大量计算时间，易出现复杂度呈指数增长的现象，导致优化效率低。以卷积神经网络为例，它包含诸如初始学习率、迭代次数、网络深度和结构、卷积核和池化核的尺寸、数量等参数。根据不同参数的特点及其在模型中的作用大致分为运行超参数和结构超参数。运行超参数是指包括学习率、优化器类型、批处理大小、迭代次数等影响模型收敛程度和训练效率的参数；结构超参数是指包括隐含层层数、卷积层（卷积核尺寸和数量、卷积的步长、填充大小）、池化层（池化方式、池化核尺寸、池化步长）、激活函数等影响模型训练精度的参数。需要研究这些参数如何影响矿产资源潜力评价的效率和准确度，评估它们在网络模型中的重要性，识别出关键影响参数，进而探究深度学习算法关键参数（包括单参数和多参数）的优化方法和策略。

13.4 其　　他

当前增强深度学习模型的可解释性主要包括数据输入约束、中间过程约束和输出结果约束三种类型。在矿产资源潜力评价领域，深度学习中间过程约束的研究刚刚起步，包括把地质规律构建成深度学习隐含层的硬约束和根据地质现象及规律构建新的损失函数的软约束。如何建立成矿动力学方程，把成矿规律构建成深度学习的隐含层，实现深度学习模型的硬约束，提升深度学习模型的可解释性；以及如何把深度学习模型可视化，进而分析决策背后的逻辑与推理，实现深度学习理解成矿机理，对深入理解深度学习的原理及提升对成矿机理的认识至关重要。

此外，目前主要采用其他软件和公开平台开展知识图谱构建和深度学习模型搭建，亟须研发适用于矿产资源潜力评价的知识图谱构建和深度学习算法软件平台，实现地质文本大数据和地质找矿时空大数据的智能分析、矿产资源潜力评价领域知识图谱的智能构建，以及各类找矿信息智能挖掘与集成。这些都是矿产资源潜力智能评价进一步研究的重点。

参 考 文 献

陈建平, 2021. 深地矿产资源定量预测理论与方法. 北京: 科学出版社.

陈永清, 赵鹏大, 2009. 综合致矿地质异常信息提取与集成. 地球科学(中国地质大学学报), 34(2): 325-335.

成秋明, 2006. 非线性成矿预测理论: 多重分形奇异性-广义自相似性-分形谱系模型与方法. 地球科学 (中国地质大学学报), 31(3): 337-348.

李元君, 2021. 基于本体的斑岩型铜矿知识图谱构建研究. 武汉: 中国地质大学(武汉).

刘心怡, 周永章, 2019. 关联规则算法在粤西庞西垌地区元素异常组合研究中的应用. 地学前缘, 26(4): 125-130.

刘艳鹏, 朱立新, 周永章, 2018. 卷积神经网络及其在矿床找矿预测中的应用: 以安徽省兆吉口铅锌矿 床为例. 岩石学报, 34(11): 3217-3224.

刘月高, 吕新彪, 张振杰, 等, 2011. 甘肃西和县大桥金矿床的成因研究. 矿床地质, 30(6): 1085-1099.

王成彬, 马小刚, 陈建国, 2018. 数据预处理技术在地学大数据中应用. 岩石学报, 34(2): 303-313.

王怀涛, 王晓伟, 罗云之, 等, 2021. 基于大数据的深部找矿靶区定量成矿预测: 以大桥地区金矿为例. 黄金科学技术, 29(6): 771-780.

王堃屹, 周永章, 王俊, 等, 2019. 推荐系统算法在钦杭成矿带南段文地幅矿床预测中的应用. 地学前缘, 26(4): 131-137.

王世称, 陈永良, 夏立显, 2000. 综合信息矿产预测理论与方法. 北京: 科学出版社.

肖克炎, 张晓华, 李景朝, 等, 2007. 全国重要矿产总量预测方法. 地学前缘, 14(5): 20-26.

肖克炎, 孙莉, 李楠, 等, 2015. 大数据思维下的矿产资源评价. 地质通报, 34(7): 1266-1272.

徐克红, 2008. 大桥金矿床地质特征及找矿标志. 甘肃科技纵横, 37(6): 79-80.

姚健鹏, 郭艳军, 潘懋, 等, 2017. 铜矿床领域本体的构建方法研究. 中国矿业, 26(8): 140-145.

叶天竺, 肖克炎, 严光生, 2007. 矿床模型综合地质信息预测技术研究. 地学前缘, 14(5): 11-19.

尤关进, 张忠平, 2009. 甘肃省大桥金矿地质特征及其发现的意义. 甘肃地质, 18(4): 1-8.

赵鹏大, 2002. "三联式"资源定量预测与评价-数字找矿理论与实践探讨. 地球科学(中国地质大学学 报), 27(5): 482-489.

赵鹏大, 2007. 成矿定量预测与深部找矿. 地学前缘, 14(5):1-10.

赵鹏大, 2015. 大数据时代数字找矿与定量评价. 地质通报, 34(7): 1255-1259.

赵鹏大, 2019. 地质大数据特点及其合理开发利用. 地学前缘, 26(4): 1-5.

翟明国, 胡波, 2021. 矿产资源国家安全、国际争夺与国家战略之思考. 地球科学与环境学报, 43(1): 1-11.

翟明国, 杨树锋, 陈宁华, 等, 2018. 大数据时代: 地质学的挑战与机遇. 中国科学院院刊, 33(8): 825-831.

翟裕生, 1999. 论成矿系统. 地学前缘, 6(1): 3-5.

翟裕生, 2007. 地球系统、成矿系统到勘查系统. 地学前缘, 14(1): 172-181.

张凤霞, 吴玉霞, 张玉辉, 等, 2015. 甘肃大桥金矿床地球化学异常特征对比. 甘肃地质, 24(3): 36-41.

张振杰, 2015. 闽西南马坑式铁矿床成因研究及定量预测与评价. 武汉: 中国地质大学(武汉).

张振杰, 成秋明, 杨玠, 等, 2021. 机器学习与成矿预测: 以闽西南铁多金属矿预测为例. 地学前缘, 28(3): 221-235.

张直政, 2021. 神经网络的注意力机制研究. 合肥: 中国科学技术大学.

周永章, 张前龙, 黄永健, 等, 2021. 钦杭成矿带斑岩铜矿知识图谱构建及应用展望. 地学前缘, 28(3): 67-75.

左仁广, 2019. 勘查地球化学数据挖掘与弱异常识别. 地学前缘, 26(4): 67-75.

左仁广, 2021. 基于数据科学的矿产资源定量预测的理论与方法探索. 地学前缘, 28(3): 49-55.

左仁广, 彭勇, 李童, 等, 2021. 基于深度学习的地质找矿大数据挖掘与集成的挑战. 地球科学, 46(1): 350-358.

AGTERBERG F P, 1970. Multivariate prediction equations in geology. Journal of the International Association for Mathematical Geology, 2(3): 319-324.

AGTERBERG F P, 1989. Computer programs for mineral exploration. Science, 245(4913): 76-81.

AGTERBERG F P, 1992. Combining indicator patterns in weights of evidence modeling for resource evaluation. Nonrenewable Resources, 1(1): 39-50.

AKCAY S, ATAPOUR-ABARGHOUEI A, BRECKON T P, 2019. GANomaly: Semi-supervised anomaly detection via adversarial training//JAWAHAR C, LI H, MORI G. Computer Vision–ACCV 2018. Lecture Notes in Computer Science. Cham: Springer.

AN P, MOON W M, RENCZ A, 1991. Application of fuzzy set theory for integration of geological, geophysical and remote sensing data. Canadian Journal of Exploration Geophysics, 27(1): 1-11.

ARYAFAR A, MOEINI H, 2017. Application of continuous restricted Boltzmann machine to detect multivariate anomalies from stream sediment geochemical data, Korit, East of Iran. Journal of Mining and Environment, 8(4): 673-682.

BAHDANAU D, CHO K, BENGIO Y, 2014. Neural machine translation by jointly learning to align and translate. arXiv:1409. 0473.

BALCE G R, ENCINA R Y, MOMONGAN A, et al., 1980. Geology of the Baguio district and its implications on the tectonic development of the Luzon Central Cordillera. Geology and Paleontology of Southeast Asia, 21: 265-287.

BELLMAN R, 1957. A Markovian decision process. Journal of Mathematics and Mechanics, 6(5): 679-684.

BENGIO Y, SIMARD P, FRASCONI P, 1994. Learning long-term dependencies with gradient descent is difficult. IEEE Transactions on Neural Networks, 5(2): 157-166.

BONHAM-CARTER G F, 1994. Geographic information systems for geoscientists: Modelling with GIS. Ontario: Pergamon Press: 398.

CARRANZA E J M, 2008. Geochemical anomaly and mineral prospectivity mapping in GIS// Handbook of exploration and environmental geochemistry. Amsterdam: Elsevier: 351.

CARRANZA E J M, HALE M, 2001. Logistic regression for geologically constrained mapping of gold potential, Baguio district, Philippines. Exploration and Mining Geology, 10(3): 165-175.

CARRANZA E J M, HALE M, 2003. Evidential belief functions for data-driven geologically constrained mapping of gold potential, Baguio district, Philippines. Ore Geology Reviews, 22(1): 117-132.

CARRANZA E J M, HALE M, FAASSEN C, 2008. Selection of coherent deposit-type locations and their application in data driven mineral prospectivity mapping. Ore Geology Reviews, 33 :536-558.

CHEN H, MURRAY A F, 2003. Continuous restricted Boltzmann machine with an implementable training algorithm. IEE Proceedings-Vision, Image and Signal Processing, 150(3): 153-158.

CHEN L, GUAN Q, XIONG Y, et al., 2019a. A spatially constrained multi-autoencoder approach for multivariate geochemical anomaly recognition. Computers & Geosciences, 125: 43-54.

CHEN L, GUAN Q, FENG B, et al., 2019b. A multi-convolutional autoencoder approach to multivariate geochemical anomaly recognition. Minerals, 9(5): 270.

CHEN Y, 2015. Mineral potential mapping with a restricted Boltzmann machine. Ore Geology Reviews, 71: 749-760.

CHEN Y, WU W, 2017. Application of one-class support vector machine to quickly identify multivariate anomalies from geochemical exploration data. Geochemistry: Exploration, Environment, Analysis, 17: 231-238.

CHEN Y, LU L, LI X, 2014. Application of continuous restricted Boltzmann machine to identify multivariate geochemical anomaly. Journal of Geochemical Exploration, 140: 56-63.

CHEN Y, WU W, ZHAO Q, 2020a. A bat algorithm-based data-driven model for mineral prospectivity mapping. Natural Resources Research, 29(1): 247-265.

CHEN Y, ZHANG D, 2020b. Physics-constrained deep learning of geomechanical logs. IEEE Transactions on Geoscience and Remote Sensing, 58(8): 5932-5943.

CHEN Y, WANG S, ZHAO Q, et al., 2021. Detection of multivariate geochemical anomalies using the bat-optimized isolation forest and bat-optimized elliptic envelope models. Journal of Earth Science, 32(2): 415-426.

CHENG Q, AGTERBERG F P, 1999. Fuzzy weights of evidence method and its application in mineral potential. Natural Resources Research, 8: 7-35.

CHENG Q, AGTERBERG F P, BALLANTYNE S B, 1994. The separation of geochemical anomalies from background by fractal methods. Journal of Geochemical Exploration, 51(2): 109-130.

CHENG Q, OBERHÄNSLI R, ZHAO M, 2020. A new international initiative for facilitating data-driven earth science transformation. Geological Society of London, 499(1): 225-240.

CHUNG C J F, 1977. An application of discriminant analysis for the evaluation of mineral potential// Application of computer methods in the mineral industry, Proceedings of the 14th APCOM Symposium. Society of Mining Engineers of American Institute of Mining, Metallurgical, and Petroleum Engineers: 299-311.

CHUNG C J F, FABBRI A G, 1993. The representation of geoscience information for data integration. Nonrenewable Resources, 2(2): 122-139.

CHUNG J, GULCEHRE C, CHO K, et al., 2014. Empirical evaluation of gated recurrent neural networks on sequence modeling. https://arxiv. org/pdf/1412. 3555. pdf

COOKE D R, MCPHAIL D C, 2001. Epithermal Au-Ag-Te mineralization, Acupan, Baguio District, Philippines: Numerical simulations of mineral deposition. Economic Geology, 96(1): 109-131.

COOKE D R, MCPHAIL D C, BLOOM M S, 1996. Epithermal gold mineralization, Acupan, Baguio District, Philippines: Geology, mineralization, alteration, and the thermochemical environment of ore deposition. Economic Geology and the Bulletin of the Society of Economic Geologists, 91(2): 243-272.

CRESWELL A, WHITE T, DUMOULIN V, et al., 2018. Generative adversarial networks: An overview. IEEE Signal Processing Magazine, 35(1): 53-65.

DAVIES R S, GROVES D I, TRENCH A, et al., 2020. Towards producing mineral resource-potential maps within a mineral systems framework, with emphasis on Australian orogenic gold systems. Ore Geology Reviews, 119: 103369.

DONG H, DING Z, ZHANG S, 2020. Deep reinforcement learning: Fundamentals, research and applications. Singapore: Springer.

ELMAN J L, 1990. Finding structure in time. Cognitive Science, 14(2): 179-211.

ENKHSAIKHAN M, LIU W, HOLDEN E J, et al., 2018. Towards geological knowledge discovery using vector-based semantic similarity//GAN G, LI B, LI X, et al. Advanced data mining and application: Lecture notes in computer science, Cham: Springer: 224-237.

FERNANDEZ H E, DAMASCO F V, 1979. Gold deposition in the Baguio gold district and its relationship to regional geology. Economic Geology, 74: 1852-1868.

FRASCONI P, GORI M, SPERDUTI A, 1998. A general framework for adaptive processing of data structures. IEEE Transactions on Neural Networks, 9(5): 768-786.

FORD A, PETERS K J, PARTINGTON G A, et al., 2019. Translating expressions of intrusion-related mineral systems into mappable spatial proxies for mineral potential mapping: Case studies from the Southern New England Orogen, Australia. Ore Geology Reviews, 111: 102943.

GORI M, MONFARDINI G, SCARSELLI F, 2005. A new model for learning in graph domains//2005 IEEE International Joint Conference on Neural Networks. Montreal: 2: 729-734.

GONBADI A M, TABATABAEI S H, CARRANZA E J M, 2015. Supervised geochemical anomaly detection by pattern recognition. Journal of Geochemical Exploration, 157: 81-91.

GOODFELLOW I, 2016. Nips 2016 tutorial: Generative adversarial networks. arXiv preprint arXiv: 1701.00160.

GOODFELLOW I J, POUGET-ABADIE J, MIRZA M, et al., 2014. Generative adversarial nets//Proceedings of the 27th International Conference on Neural Information Processing Systems. Cambridge: MIT Press.

GALLICCHIO C, MICHELI A, 2010. Graph Echo State Networks//IEEE International Joint Conference on Neural Networks (IJCNN). Barcelona, Spain.

HANSON P C, STILLMAN A B, JIA X, et al., 2020. Predicting lake surface water phosphorus dynamics using process-guided machine learning. Ecological Modelling, 430: 109136.

HARRIS D V P, 1984. Mineral resources appraisal: Mineral endowment, resources, and potential supply:

Concepts, methods and cases. New York: Oxford University Press.

HARRIS J R, WILKINSON L, HEATHER K, et al., 2001. Application of GIS processing techniques for producing mineral prospectivity maps: A case study: mesothermal Au in the Swayze Greenstone Belt, Ontario, Canada. Natural Resources Research, 10(2): 91-124.

HINTON G E, 2002. Training products of experts by minimizing contrastive divergence. Neural Computation, 14(8): 1771-1800.

HINTON G E, 2012. A practical guide to training restricted Boltzmann machines// Neural networks: Tricks of the trade. Berlin: Springer: 599-619.

HINTON G E, SEJNOWSKI T J, 1986. Learning and relearning in Boltzmann machines. Parallel distributed processing: Explorations in the microstructure of cognition: Foundations. Cambridge: MIT Press: 282-317.

HINTON G E, OSINDERO S, TEH Y W, 2006a. A fast learning algorithm for deep belief nets. Neural Computation, 18(7): 1527-1554.

HINTON G E, SALAKHUTDINOV R R, 2006b. Reducing the dimensionality of data with neural networks. Science, 313(5786): 504-507.

HOCHREITER S, SCHMIDHUBER J, 1997. Long short-term memory. Neural Computation, 9(8), 1735-1780.

HOGAN A, BLOMQVIST E, COCHEZ M, et al., 2020. Knowledge graphs. ACM Computing Surveys, 54(4): 71.

HOLDEN E J, LIU W, HORROCKS T, et al., 2019. GeoDocA-fast analysis of geological content in mineral exploration reports: A text mining approach. Ore Geology Reviews, 111: 102919.

HUANG L, DU Y, CHEN G, 2015. GeoSegmenter: A statistically learned Chinese word segmenter for the geoscience domain. Computers and Geosciences, 76: 11-17.

ITTI L, KOCH C, NIEBUR E, 1998. A model of saliency-based visual attention for rapid scene analysis. IEEE Transactions on Pattern Analysis and Machine Intelligence, 20(11): 1254-1259.

JOZEFOWICZ R, ZAREMBA W, SUTSKEVER I, 2015. An empirical exploration of recurrent network architectures// Proceedings of the 32nd International Conference on Machine Learning. Lille: 37: 2342-2350.

KINGMA D P, WELLING M, 2019. An introduction to variational autoencoders. Foundations and Trends® in Machine Learning, 12(4): 307-392.

KIPF T N, WELLING M, 2016. Semi-supervised classification with graph convolutional networks. arXiv: 1609. 02907.

KRIZHEVSKY A, SUTSKEVER I, HINTON G E, 2012. ImageNet classification with deep convolutional neural networks. Advances in Neural Information Processing Systems, 25(2): 1097-1105.

LAROCHELLE H, HINTON G E, 2010. Learning to combine foveal glimpses with a third-order Boltzmann machine// Proceedings of the 23rd International Conference on Neural Information Processing Systems. Red Hook: Curran Associates Inc. : 1243-1251.

LAROCHELLE H, BENGIO Y, LOURADOUR J, et al., 2009. Exploring strategies for training deep neural networks. Journal of Machine Learning Research, 10(1): 1-40.

LECUN Y, BENGIO Y, 1995. Convolutional networks for images, speech, and time series//ARBIB M A. The handbook of brain theory and neural networks. Cambridge: MIT Press.

LECUN Y, HUANG F J, BOTTOU L, 2004. Learning methods for generic object recognition with invariance to pose and lighting// Proceedings of the 2004 IEEE Computer Society Conference on Computer Vision and Pattern Recognition. Washington DC: 2: II-104.

LECUN Y, BENGIO Y, HINTON G, 2015. Deep learning. Nature, 521: 436.

LI H, LI X, YUAN F, et al., 2020a. Convolutional neural network and transfer learning based mineral prospectivity modeling for geochemical exploration of Au mineralization within the Guandian-Zhangbaling area, Anhui Province, China. Applied Geochemistry, 122: 104747.

LI S, CHEN J, XIANG J, 2018. Prospecting information extraction by text mining based on convolutional neural networks-a case study of the Lala copper deposit. IEEE Access, 6: 52286-52297.

LI S, CHEN J, XIANG J, 2020b. Applications of deep convolutional neural networks in prospecting prediction based on two-dimensional geological big data. Neural Computing and Applications, 32(7): 2037-2053.

LI S, CHEN J, LIU C, et al., 2021b. Mineral prospectivity prediction via convolutional neural networks based on geological big data. Journal of Earth Science, 32(2): 327-347.

LI T, ZUO R, XIONG Y, et al., 2021a. Random-drop data augmentation of deep convolutional neural network for mineral prospectivity mapping. Natural Resources Research, 30(1): 27-38.

LI W, WU G, ZHANG F, et al., 2016. Hyperspectral image classification using deep pixel-pair features. IEEE Transactions on Geoscience and Remote Sensing, 55(2): 844-853.

LIU F T, TING K M, ZHOU Z H, 2012. Isolation-based anomaly detection. ACM Transactions on Knowledge Discovery from Data, 6(1): 1-39.

LIU Y, XIA Q, CHENG Q, et al., 2013. Application of singularity theory and logistic regression model for tungsten polymetallic potential mapping. Nonlinear Processes in Geophysics, 20(4): 445-453.

LONG J, SHELHAMER E, DARRELL T, 2015. Fully convolutional networks for semantic segmentation. IEEE Conference on Computer Vision and Pattern Recognition: 3431-3440.

LUO X, ZHOU W, WANG W, et al., 2017. Attention-based relation extraction with bidirectional gated recurrent unit and highway network in the analysis of geological data. IEEE Access, 6: 5705-5715.

LUO Z, XIONG Y, ZUO R, 2020. Recognition of geochemical anomalies using a deep variational autoencoder network. Applied Geochemistry, 122: 104710.

LUO Z, ZUO R, XIONG Y, et al., 2021. Detection of geochemical anomalies related to mineralization using the GANomaly network. Applied Geochemistry, 131: 105043.

MCCUAIG T C, BERESFORD S, HRONSKY J, 2010. Translating the mineral systems approach into an effective exploration targeting system. Ore Geology Reviews, 38(3): 128-138.

MCMILLAN M, HABER E, PETERS B, et al., 2021. Mineral prospectivity mapping using a VNet convolutional neural network. The Leading Edge, 40(2): 99-105.

MENTES H S, 2012. Design and development of a mineral exploration ontology. Americus: Georgia State University.

MIKOLOV T, JOULIN A, CHOPRA S, et al., 2014. Learning longer memory in recurrent neural networks. arXiv: 1412. 7753v2.

MITCHELL A H G, BALCE G R, 1990. Geological features of some epithermal gold systems, Philippines. Journal of Geochemical Exploration, 35(1): 241-296.

MITCHELL A H G, LEACH T M, 1991. Epithermal gold in the Philippines: Island arc metallogenesis, geothermal systems and geology. New York: Academic Press.

MNIH V, HEESS N, GRAVES A, 2014. Recurrent models of visual attention//Proceedings of the 27th International Conference on Neural Information Processing Systems. Cambridge: MIT Press: 2204-2212.

MNIH V, KAVUKCUOGLU K, SILVER D, et al., 2013. Playing Atari with deep reinforcement learning. arXiv abs/1312. 5602.

MNIH V, KAVUKCUOGLU K, SILVER D, et al., 2015. Human-level control through deep reinforcement learning. Nature, 518(7540): 529-533.

MOEINI H, TORAB F M, 2017. Comparing compositional multivariate outliers with autoencoder networks in anomaly detection at Hamich exploration area, east of Iran. Journal of Geochemical Exploration, 180: 15-23.

NYKÄNEN V, 2008. Radial basis functional link nets used as a prospectivity mapping tool for orogenic gold deposits within the Central Lapland Greenstone Belt, Northern Fennoscandian Shield. Natural Resources Research, 17(1): 29-48.

PAN G, HARRIS D P, 2000. Information synthesis for mineral exploration. New York: Oxford University Press: 461.

PANG G, VAN DEN HENGEL A, SHEN C H, et al., 2021. Toward deep supervised anomaly detection: Reinforcement learning from partially labeled anomaly data//Proceedings of the 27th ACM SIGKDD Conference on Knowledge Discovery & Data Mining. New York: Association for Computing Machinery: 1298-1308.

PARSA M, 2021. A data augmentation approach to XGboost-based mineral potential mapping: An example of carbonate-hosted Zn-Pb mineral systems of Western Iran. Journal of Geochemical Exploration, 228: 106811.

PEREZ L, WANG J. 2017. The effectiveness of data augmentation in image classification using deep learning. arXiv:1712. 04621.

PORWAL A, CARRANZA E J M, HALE M, 2003. Artificial neural networks for mineral-potential mapping: A case study from Aravalli Province, Western India. Natural Resources Research, 12(3): 155-171.

PORWAL A, CARRANZA E J M, HALE M, 2006. Bayesian network classifiers for mineral potential mapping. Computers & Geosciences, 32(1): 1-16.

QIU Q, XIE Z, WU L, et al., 2019. BiLSTM-CRF for geological named entity recognition from the geoscience literature. Earth Science Informatics, 12(4): 565-579.

REICHSTEIN M, CAMPS-VALLS G, STEVENS B, et al., 2019. Deep learning and process understanding for data-driven Earth system science. Nature, 566(7743): 195-204.

SCARSELLI F, GORI M, TSOI A C, et al., 2009. Computational capabilities of graph neural networks. IEEE

Transactions on Neural Networks, 20(1): 81-102.

SCHÖLKOPF B, PLATT J C, SHAWE-TAYLOR J, et al., 2001. Estimating the support of a high-dimensional distribution. Neural Computation, 13(7): 1443-1471.

SINGER D A, KOUDA R, 1996. Application of a feedforward neural network in the search for Kuroko deposits in the Hokuroku district, Japan. Mathematical Geology, 28(8): 1017-1023.

SPERDUTI A, STARITA A, 1997. Supervised neural networks for the classification of structures. IEEE Transactions on Neural Networks, 8(3): 714-735.

SUN T, LI H, WU K, et al., 2020. Data-driven predictive modelling of mineral prospectivity using machine learning and deep learning methods: A case study from southern Jiangxi Province, China. Minerals, 10(2): 102.

SUN X, DENG J, GONG Q, et al., 2009. Kohonen neural network and factor analysis based approach to geochemical data pattern recognition. Journal of Geochemical Exploration, 103: 6-16.

SUTTON R S, 1988. Learning to predict by the methods of temporal differences. Machine Learning, 3(1): 9-44.

SUTTON R S, 1992. Introduction: The challenge of reinforcement learning. Machine Learning, 8(5): 225-227.

SUTTON R S, BARTO A G, 2018. Reinforcement learning: An introduction (2nd ed). Cambridge: MIT Press.

TAYLOR R B, STEVEN T A, 1983. Definition of mineral resource potential. Economic Geology, 78: 1268-1270.

VASWANI A, SHAZEER N, PARMAR N, et al., 2017. Attention is all you need. Proceedings of the 31st International Conference on Neural Information Processing Systems. Red Hook: Curran Associates Inc. : 6000-6010.

VELIČKOVIĆ P, CUCURULL G, CASANOVA A, et al., 2018. Graph attention networks. arXiv: 1710. 10903.

WANG C, MA X, CHEN J, et al., 2018a. Information extraction and knowledge graph construction from geoscience literature. Computers & Geosciences, 112: 112-120.

WANG C, MA X, CHEN J, 2018b. Ontology-driven data integration and visualization for exploring regional geologic time and paleontological information. Computers & Geosciences, 115: 12-19.

WANG C, LI Y, CHEN J, 2021. Text mining and knowledge graph construction from geoscience literature legacy: A review//MA X, MOOKERJEE M, HSU L, et al. Recent advancement in geoinformatics and data science, GSA Special Paper.

WANG J, ZHOU Y, XIAO F, 2020. Identification of multi-element geochemical anomalies using unsupervised machine learning algorithms: A case study from Ag-Pb-Zn deposits in north-western Zhejiang, China. Applied Geochemistry, 120: 104679.

WANG X, ZHANG Q, ZHOU G, 2007. National‐scale geochemical mapping projects in China. Geostandards and Geoanalytical Research, 31(4): 311-320.

WANG X, ZUO R, WANG Z, 2022. Lithological mapping using a convolutional neural network based on stream sediment geochemical survey data. Natural Resources Research, 31(5): 2397-2412.

WANG Z, ZUO R, DONG Y, 2019. Mapping geochemical anomalies through integrating random forest and metric learning methods. Natural Resources Research, 28(4): 1285-1298.

WATERS P J, COOKE D R, GONZALES R I, et al., 2011. Porphyry and epithermal deposits and $^{40}Ar/^{39}Ar$ geochronology of the Baguio district, Philippines. Economic Geology and the Bulletin of the Society of Economic Geologists, 106(8): 1335-1363.

WATKINS C J C H, 1989. Learning form delayed rewards. Cambridge: Cambridge University.

WERBOS P J, 1990. Backpropagation through time: What it does and how to do it. Proceedings of the IEEE, 78(10): 1550-1560.

WOLFE J A, 1981. Philippine geochronology. Journal of the Geological Society of the Philippines, 35: 1-30.

WOLFE J A, 1988. Arc magmatism and mineralization in north Luzon and its relationship to subduction at the east Luzon and north manila trenches. Journal of Southeast Asian Earth Sciences, 2: 79-93.

WU W, CHEN Y, 2018. Application of isolation forest to extract multivariate anomalies from geochemical exploration data. Global Geology, 21(1): 36-47.

WU Z, PAN S, CHEN F, et al., 2021. A comprehensive survey on graph neural networks. IEEE Transactions on Neural Networks and Learning Systems, 32(1): 4-24.

WYBORN L A I, HEINRICH C A, JAQUES A L, 1994. Australian Proterozoic mineral systems: Essential ingredients and mappable criteria//Proceedings of the Australian Institute of Mining and Metallurgy Annual Conference, Melbourne: 109-115.

XIE X, MU X, REN T, 1997. Geochemical mapping in China. Journal of Geochemical Exploration, 60(1): 99-113.

XIE Y, FRANZ E, CHU M, et al., 2018. TempoGAN: A temporally coherent, volumetric gan for super-resolution fluid flow. ACM Transactions on Graphics (TOG), 37(4): 1-15.

XIONG Y, ZUO R, 2016. Recognition of geochemical anomalies using a deep autoencoder network. Computers & Geosciences, 86: 75-82.

XIONG Y, ZUO R, 2020. Recognizing multivariate geochemical anomalies for mineral exploration by combining deep learning and one-class support vector machine. Computers & Geosciences, 140: 104484.

XIONG Y, ZUO R, CARRANZA E J M, 2018. Mapping mineral prospectivity through big data analytics and a deep learning algorithm. Ore Geology Reviews, 102: 811-817.

XIONG Y, ZUO R, 2022a. Robust feature extraction for geochemical anomaly recognition using a stacked convolutional denoising autoencoder. Mathematical Geosciences, 54: 623-644.

XIONG Y, ZUO R, LUO Z, et al., 2022b. A physically constrained variational autoencoder for geochemical pattern recognition. Mathematical Geosciences, 54(4): 783-806.

XU Y, LI Z, XIE Z, et al., 2021. Mineral prospectivity mapping by deep learning method in Yawan-Daqiao area, Gansu. Ore Geology Reviews, 138: 104316.

YANG N, ZHANG Z, YANG J, et al., 2021. A convolutional neural network of GoogLeNet applied in mineral prospectivity prediction based on multi-source geoinformation. Natural Resources Research, 30: 3905-3923.

YANG N, ZHANG Z, YANG J, et al., 2022. Applications of data augmentation in mineral prospectivity prediction based on convolutional neural networks. Computers & Geosciences, 161: 105075.

YIN B, ZUO R, XIONG Y, 2022. Mineral prospectivity mapping via gated recurrent unit model. Natural Resources Research, 31(4): 2065-2079.

YIN B, ZUO R, SUN S, 2023. Mineral prospectivity mapping using deep self-attention model. Natural Resources Research, 32: 37-56.

YU X, XIAO F, ZHOU Y, et al., 2019. Application of hierarchical clustering, singularity mapping, and Kohonen neural network to identify Ag-Au-Pb-Zn polymetallic mineralization associated geochemical anomaly in Pangxidong district. Journal of Geochemical Exploration, 203: 87-95.

ZHANG C, ZUO R, 2021a. Recognition of multivariate geochemical anomalies associated with mineralization using an improved generative adversarial network. Ore Geology Reviews, 136: 104264.

ZHANG C, ZUO R, XIONG Y, 2021b. Detection of the multivariate geochemical anomalies associated with mineralization using a deep convolutional neural network and a pixel-pair feature method. Applied Geochemistry, 130: 104994.

ZHANG C, ZUO R, XIONG Y, et al., 2022. A geologically-constrained deep learning algorithm for recognizing geochemical anomalies. Computers & Geosciences, 162: 105100.

ZHANG S, XIAO K, CARRANZA E J M, et al., 2019a. Integration of auto-encoder network with density-based spatial clustering for geochemical anomaly detection for mineral exploration. Computers & Geosciences, 130: 43-56.

ZHANG S, TONG H, XU J, et al., 2019b. Graph convolutional networks: A comprehensive review. Computational Social Networks, 6: 11.

ZHAO W, GENTINE P, REICHSTEIN M, et al., 2019. Physics-constrained machine learning of evapotranspiration. Geophysical Research Letters, 46(24): 14496-14507.

ZHENG G, MUKHERJEE S, DONG X L, et al., 2018. OpenTag: Open attribute value extraction from product profiles//Proceedings of the 24th ACM SIGKDD International Conference on Knowledge Discovery & Data Mining. New York: Association for Computing Machinery: 1049-1058.

ZIAII M, POUYAN A A, ZIAEI M, 2009. Neuro-fuzzy modelling in mining geochemistry: Identification of geochemical anomalies. Journal of Geochemical Exploration, 100: 25-36.

ZIÉBELIN D, GENOUD P, NATETE M J, et al., 2018. A web of data platform for mineral intelligence capacity analysis (MICA)//International Symposium on Web and Wireless Geographical Information Systems. Cham: Springer: 155-171.

ZUO R, 2016. A nonlinear controlling function of geological features on magmatic-hydrothermal mineralization. Scientific Reports, 6(1): 1-5.

ZUO R, 2017. Machine learning of mineralization-related geochemical anomalies: A review of potential methods. Natural Resources Research, 26(4): 457-464.

ZUO R, 2020. Geodata science-based mineral prospectivity mapping: A review. Natural Resources Research, 29: 3415-3424.

ZUO R, XIONG Y, 2018. Big data analytics of identifying geochemical anomalies supported by machine learning methods. Natural Resources Research, 27(1): 5-13.

ZUO R, XIONG Y, 2020. Geodata science and geochemical mapping. Journal of Geochemical Exploration, 209: 106431.

ZUO R, XU Y, 2023. Graph deep learning model for mapping mineral prospectivity. Mathematical Geosciences, 55: 1-21

ZUO R, XIONG Y, WANG J, et al., 2019. Deep learning and its application in geochemical mapping. Earth-Science Reviews, 192: 1-14.

ZUO R, WANG J, XIONG Y, et al., 2021. The processing methods of geochemical exploration data: Past, present, and future. Applied Geochemistry, 132: 105072.

ZUO R, LUO Z, XIONG Y, et al., 2022. A geologically constrained variational autoencoder for mineral prospectivity mapping. Natural Resources Research, 31 (3): 1121-1133.

附　　录

附录1　基于滑动窗口的样本制作代码

本程序由 MATLAB 软件编写，版本为 2016a。

```
WindowSize = 9; %定义窗口大小
%%
h=waitbar(0,'keep waiting'); %设置进度条
for l=1:1:7 %设置样本维度
    mkdir(['D:\data_n\label_',num2str(l),'\',num2str(i),'\']);
    [row,col] = find(label==l); %找到对应 label 的行列
    a = find(row>=184-WindowSize/2|row<=WindowSize/2);
    row(a)=[];
    col(a)=[];
    b = find(col>=208-WindowSize/2|col<=WindowSize/2);
    row(b)=[];
    col(b)=[];
    ra = randperm(size(row,1),210); %扩充随机点样本数量
    clear a b;

    for i=1:1:size(ra,2) %i 代表样本,1 是标签
        for j=1:1:81 %每个滑动窗口制作训练样本数量
            cor_row = round(row(ra(i)))-WindowSize+ceil(j/WindowSize)*
WindowSize; %左上角行位置
            cor_col = round(col(ra(i)))-WindowSize+j-floor(j/WindowSize)*
WindowSize; %左上角列位置
            sample = data_n(cor_row:cor_row+WindowSize-1,cor_col:cor_col+
WindowSize-1,:); %取出样本
            sample = reshape(sample,9*9,15); %还原样本
            csvwrite(['D:\data_n\label_',num2str(l),'\',num2str(i),num2str(j),
            '.csv'],sample);
        end
    end
    waitbar(l/7);
end
```

附录 2 基于地质约束的数据增强代码

1）研究区不规则

本程序由 Python3.9 语言编写，Pytorch 版本 1.9。

```
import pandas as pd
import numpy as np
import math
df = pd.read_csv(r'*/point.csv',sep=',') #输入待扩充数据

d = 1000  #定义输入数据点间距
au = df[df['label'] == 1].iloc[:,[1,2,4]]  #矿点所在的坐标 X,Y 及标签 labels

augment = pd.DataFrame(columns=['FID'])  #创建一个扩充 FID 的空数据框
for i in range(0,len(au)):
        augment = pd.concat([augment,pd.DataFrame({"FID": df[df['POINT_X'].
    isin([au.iloc[i,0] - d]) & df['POINT_Y']. isin([au.iloc[i,1]])].
    index.values})],ignore_index=True) #左
        augment = pd.concat([augment,pd.DataFrame({"FID": df[df['POINT_X'].
    isin([au.iloc[i,0] - d]) & df['POINT_Y']. isin([au.iloc[i,1] - d])].
    index.values})],ignore_index=True) #左下
        augment = pd.concat([augment,pd.DataFrame({"FID": df[df['POINT_X'].
    isin([au.iloc[i,0] - d]) & df['POINT_Y'].isin([au.iloc[i,1] + d])].
    index.values})],ignore_index=True) #左上
        augment = pd.concat([augment,pd.DataFrame({"FID": df[df['POINT_X'].
    isin([au.iloc[i,0] + d]) & df['POINT_Y']. isin([au.iloc[i,1]])]. index.
    values})],ignore_index=True) #右
        augment = pd.concat([augment,pd.DataFrame({"FID": df[df['POINT_X'].
    isin([au.iloc[i,0] + d]) & df['POINT_Y']. isin([au.iloc[i,1] - d])].
    index.values})],ignore_index=True) #右下
        augment = pd.concat([augment,pd.DataFrame({"FID": df[df['POINT_X'].
    isin([au.iloc[i,0] +d]) & df['POINT_Y'].isin([au.iloc[i,1] + d])]. index.
    values})],ignore_index=True) #右上
        augment = pd.concat([augment,pd.DataFrame({"FID": df[df['POINT_X'].
    isin([au.iloc[i,0]]) & df['POINT_Y'].isin([au.iloc[i,1] - d])].index.
    values})],ignore_index=True) #下
        augment = pd.concat([augment,pd.DataFrame({"FID": df[df['POINT_X'].
    isin([au.iloc[i,0]]) & df['POINT_Y'].isin([au.iloc[i,1] + d])].index.
    values})],ignore_index=True) #上
```

```
#给augment中包含的FID进行赋值
for i in range(0,len(augment)):
    df.iloc[augment.iloc[i,0]:augment.iloc[i,0]+1,3:4] = 1


outputpath = '*/point.csv'
df.to_csv(outputpath,sep=',',index=False,header=True)    #输出扩充后的数据
```

2）研究区规则

本程序由Python3.9语言编写，Pytorch版本1.9。

```
import pandas as pd
import numpy as np
import math
df = pd.read_csv(r'*/point.csv',sep=',')    #输入待扩充数据


col = 171    #定义栅格列数
row = 243    #行定义栅格数
w = 3    #定义栅格窗口大小


#矿点和非矿点的窗口赋值
au = df[df['au'] == 1].FID    #矿点赋值
noau = df[df['au'] == 0].FID    #非矿点赋值


for i in range(len(au)):
    for j in range(-int(w/2),math.ceil(w/2)):
        df.iloc[au.iloc[i] + col * j - int(w/2):au.iloc[i] + col * j +
math.ceil(w/2),1:2] = 1    #1:2表示df['au']所在的列


for i in range(len(noau)):
    for j in range(-int(w/2),math.ceil(w/2)):
        df.iloc[noau.iloc[i] + col * j - int(w/2):noau.iloc[i] + col * j +
math.ceil(w/2),1:2] = 0


outputpath = '*/point.csv'
df.to_csv(outputpath,sep=',',index=False,header=True)    #输出扩充后的数据
```

附录 3 基于窗口裁剪的数据增强代码

本程序由 Python3.9 语言编写，Pytorch 版本 1.9。

```python
import os
import cv2
import numpy as np
import random,shutil
from natsort import natsorted


#定义数据增强函数
#directory_name:需要裁剪的块的位置
#SAVE_MARK_DIR:保存文件的位置（即数据扩充后文件存放位置）
def data_augmentation(directory_name,SAVE_MARK_DIR):
    filelist = os.listdir(directory_name)
    filelist.sort(key=lambda x:int(x[:-4]))
    s = 0
    for filename in filelist:
        print(filename)
        image = np.load(directory_name + "/" +filename)   #读取需要裁剪的块
        print(image.shape)
        rows,cols,chn = image.shape
    #定义裁剪窗口大小
    w = 6
    h = 6


    X = [0,1,2,3,4,5]
    Y = [0,1,2,3,4,5]


    #裁剪（分通道裁剪）
    for x in X:
        for y in Y:
            region1 = image[:,:,0][x:x+w,y:y+h]
            region2 = image[:,:,1][x:x+w,y:y+h]
            region3 = image[:,:,2][x:x+w,y:y+h]
            region4 = image[:,:,3][x:x+w,y:y+h]


            #将裁剪后的四个通道融合
```

```
                    res = cv2.merge([region1,region2,region3,region4])
                    print(res.shape)
                    np.save(os.path.join(SAVE_MARK_DIR,'%s.npy'%(s)),res)
                    s = s+1
```

#调用函数对负样本进行裁剪
```
directory_name = '*/Data/train/0/'
SAVE_MARK_DIR = '*/Data/1/train_expand/0/'
data_augmentation(directory_name,SAVE_MARK_DIR)
```

#调用函数对正样本进行裁剪
```
directory_name = '*/Data/train/1/'
SAVE_MARK_DIR = '*/Data/1/train_expand/1/'
data_augmentation(directory_name,SAVE_MARK_DIR)
```

附录 4　基于 random-drop 的数据增强代码

本程序由 Python 语言编写，Tensorflow 版本 1.4。

```
import pandas as pd
import random
import numpy as np


def read_data():

#设置增强参数
    rate = 0.2   #随机点比例
    w_size = 32  #生成样本尺寸
    h = 335  #数据尺寸-高
    w = 335  #数据尺寸-宽
    channel = 28   #数据通道数
    geochemical_channel = 28   #地球化学数据通道
    augmentation_times = 2   #增强次数
    positive_data = []   #生成的正样本
    negative_data = []   #生成的负样本


#数据输入
    raw_data = pd.read_csv('*/data.csv',header=None)  #输入地球化学数据,*为数据
路径。数据格式见 2.2 节
    raw_data = raw_data.values
    d_location = pd.read_csv('*/deposits.csv',header=None)  #读取正样本位置,*
为输入矿点数据路径。数据格式为二维数组,分别代表样本横坐标和纵坐标
    d_location = d_location.values
    n_location = pd.read_csv('*/non_deposits.csv',header=None)  #读取负样本位
置,*为输入非矿点数据路径。数据格式为二维数组,分别代表样本横坐标和纵坐标
    n_location = n_location.values


#增强过程
    for epochs in range(augmentation_times):
        drop_points = [random.randint(0,w * h-1) for _ in range(round(w*h*rate))]
#生成随机点位置
        raw_data[drop_points,:geochemical_channel] = 0      #替换地球化学数据
        data = np.reshape(raw_data,[h,w,channel])      #转换成三维数据
```

```
#数据输出
    for i in range(len(d_location)):
        label_1 = data[round(d_location[i,0] - w_size / 2):round
        (d_location[i,0] + w_size / 2),round(d_location[i,1] - w_size /
2):round(d_location[i,1]+ w_size / 2),:]
        label_0 = data[round(n_location[i,0] - w_size / 2):round
        (n_location[i,0] + w_size / 2),round(n_location[i,1] - w_size /
2):round(n_location[i,1]+ w_size / 2),:]
        positive_data.append(label_1)
        negative_data.append(label_0)

    return positive_data,negative_data #输出正样本和负样本
```

附录 5 基于像素对匹配的数据增强代码

本程序由 Python 语言编写，Tensorflow 版本 1.4。

```
#修改自 Li W,Wu G D, Du Q,2017. Transferred deep learning for anomaly detection
in hyperspectral imagery. IEEE Geoscience and Remote Sensing Letters,14(5):
597-601.
from  future  import division
get_ipython().run_line_magic('matplotlib','inline')
import pandas as pd
import scipy.io as sio
import matplotlib.pyplot as plt
import numpy as np
import tensorflow as tf
import os


#数据输入
data = sio.loadmat('geodata.mat') #输入地球化学数据（以'.mat'格式保存),格式为多维
矩阵 x（长）*y（宽）*n（维度）
sorted(data.keys())
X = data['sample'] #输入地球化学数据文件名
print(np.shape(X))
for i in range(0,39): #对输入数据进行归一化（0-255）
    X[:,:,i] -= np.amin(X[:,:,i])
    X[:,:,i] = X[:,:,i] / np.amax(X[:,:,i])
    X[:,:,i]*= 255
    X[:,:,i] = np.int16(X[:,:,i])


gt = sio.loadmat('deposit.mat') #读取样本标签,格式为二维矩阵 x（长）*y（宽）,正样
本位置赋值 1,负样本位置赋值 0
Y = gt['deposit'] #输入样本数据文件名
print (np.shape(Y))
def _int64_feature(value):
    return tf.train.Feature(int64_list=tf.train.Int64List(value=[value]))
def _bytes_feature(value):
    return tf.train.Feature(bytes_list=tf.train.BytesList(value=[value]))


#数据输出,将增强样本的输出写入二进制文件 tfrecords 中
```

```python
def convert_to(images,labels,name):
    num_examples = labels.shape[0]
    if images.shape[0] != num_examples:
        raise ValueError("Images size %d does not match label size %d." %
                    (images.shape[0],num_examples))
    rows = images.shape[1]
    cols = images.shape[2]
    depth = images.shape[3]
    filename = os.path.join('dataset_2moli/10',name + '.tfrecords')
    #选择保存路径
    print('Writing',filename)
    writer = tf.python_io.TFRecordWriter(filename)
    for index in range(num_examples):
        image_raw = images[index].tostring()
        example = tf.train.Example(features=tf.train.Features(feature={
        'height': _int64_feature(rows),
        'width': _int64_feature(cols),
        'depth': _int64_feature(depth),
        'label': _int64_feature(int(labels[index])),
        'image_raw': _bytes_feature(image_raw)})
        )
        writer.write(example.SerializeToString())
    writer.close()


#设置增强参数
num_samples = 171 #设置正样本个数
train = 136 #按照比例对正样本进行划分,一部分用于训练集,一部分用于测试集
test = 35
cols = 39 #设置多元地球化学数据集的维度
classk_train = {} #训练集索引
classk_test = {} #测试集索引


#训练集与测试集增强过程
for k in range(1,np.amax(Y)+1):
    classk = X[Y==k,:]
    permutation_train = np.random.permutation(classk.shape[0])[:train]
    permutation_test = np.random.permutation(classk.shape[0])[train:
    num_samples]
    classk_train[k] = classk[permutation_train,:]
```

```python
        classk_test[k] = classk[permutation_test,:]
        print (classk_train[k])
        train_samples = np.zeros((train*(train-1),1,cols,1),dtype=np.uint8)
        test_samples = np.zeros((test*(test-1),1,cols,1),dtype=np.uint8)

        index = 0
        for i in range(train):
            for j in range(train):
                if i==j:
                    continue
                else:
                    train_samples[index,:,:,0] = np.abs(classk_train[k][i,:] -
classk_train[k][j,:])
                    index += 1

convert_to(train_samples,np.zeros(train*(train-1),dtype=np.int64),str(k)+
'train')
        index = 0
        for i in range(test):
            for j in range(test):
                if i==j:
                    continue
                else:
                    test_samples[index,:,:,0] = np.abs(classk_test[k][i,:] -
                    classk_test[k][j,:])

                    index += 1


convert_to(test_samples,np.zeros(test*(test-1),dtype=np.int64),str(k)+'test')

classes = np.amax(Y)
n = int(train / (classes-1))
np.random.seed(1)
train_samples = np.zeros((train*n*(classes-1),1,cols,1),dtype=np.uint8)
index=0
for i in range(train):
    for j in range(train):
        train_samples[index,0,:,0] = np.abs(classk_train[1][i,:] - classk_train
```

```python
[2][j,:])
        index += 1


print(np.shape(train_samples))
#不同类的标签设置为 0
convert_to(train_samples,np.ones(train*n*(classes-1),dtype=np.int64),
str(3)+'train')
n = int(test / (classes-1))
np.random.seed(1)
test_samples = np.zeros((test*n*(classes-1),1,cols,1),dtype=np.uint8)
index=0
for i in range(test):
    for j in range(test):
        test_samples[index,0,:,0] = np.abs(classk_test[1][i,:] - classk_test[2]
[j,:])
        index += 1
print(np.shape(test_samples))
convert_to(test_samples,np.ones(test*n*(classes-1),dtype=np.int64),str(3)
+'test')
```

附录6　基于卷积神经网络的地球化学异常识别代码

本程序由 Python 语言编写，Tensorflow 版本 1.4。本程序由网络结构与参数设置、数据输入与模型训练、模型验证、模型预测与输出 4 个部分组成。

1）网络结构和参数设置

```
import tensorflow as tf
import numpy as np
import math

FLAGS = tf.app.flags.FLAGS

#参数调整
tf.app.flags.DEFINE_integer('deepth',39,
                    """deepth""")   #样本的维度
tf.app.flags.DEFINE_integer('min_after_dequeue',500000,
                    """min_after_dequeue""")
tf.app.flags.DEFINE_integer('epochs',30,
                    """iteration epochs""")   #迭代次数
tf.app.flags.DEFINE_integer('batchsize',256,
                    """Number of images to process in a batch""")
#批处理大小
tf.app.flags.DEFINE_integer('NUM_STEPS_PER_DECAY',250000,
                    """Number of epochs to decay the learning rate""")
#衰减学习率迭代次数
tf.app.flags.DEFINE_float('decay_factor',0.01,
                    """learning rate decay speed""") #学习率衰减速度
tf.app.flags.DEFINE_float('initial_lr',0.1,
                    """initial learning rate""") #初始学习率
tf.app.flags.DEFINE_float('MOVING_AVERAGE_DECAY',0.9999,
                    """average the weights""") #移动平均权重

classes = 1

def loss(logpros,labels):
    cross_entropy = tf.nn.sigmoid_cross_entropy_with_logits(logits=logpros,
    labels=tf.to_float(labels),name='xentropy')
    loss = tf.reduce_mean(cross_entropy,name='xentropy_mean')
```

```python
    tf.add_to_collection('losses',loss)
    return tf.add_n(tf.get_collection('losses'),name='total_loss')


def _add_loss_summaries(total_loss):
    loss_averages = tf.train.ExponentialMovingAverage(0.9,name='avg')
    losses = tf.get_collection('losses')
    loss_averages_op = loss_averages.apply(losses + [total_loss])

    for l in losses + [total_loss]:
        tf.summary.scalar(l.op.name + ' (raw)',l)
        tf.summary.scalar(l.op.name,loss_averages.average(l))
    return loss_averages_op


def _variable_on_cpu(name,shape,initializer):
    with tf.device('/cpu:0'):
        var = tf.get_variable(name,shape,initializer=initializer)
    return var


def _variable_with_weight_decay(name,shape,stddev,wd=0.0005):
    var = _variable_on_cpu(name,shape,tf.truncated_normal_initializer
    (stddev=stddev))
    if wd:
        weight_decay = tf.multiply(tf.nn.l2_loss(var),wd,name='weight_loss')
        tf.add_to_collection('losses',weight_decay)
    return var


def conv_relu(input,kernel,stride,padding):
    weights = _variable_with_weight_decay('weights',shape=kernel,
                    stddev=math.sqrt(2.0 / kernel[0] / kernel[1] / kernel[2]))
    biases = _variable_on_cpu('biases',[kernel[3]],tf.constant_initializer(0.0))
    conv = tf.nn.conv2d(input,weights,stride,padding=padding)
    return tf.nn.relu(conv + biases)

#网络结构
def inference(images):
    with tf.variable_scope('conv1') as scope:
        conv1 = conv_relu(images,[1,3,1,30],[1,1,1,1],'SAME')
    with tf.variable_scope('conv2') as scope:
        conv2 = conv_relu(conv1,[1,3,30,30],[1,1,1,1],'SAME')
```

```python
    with tf.variable_scope('conv3') as scope:
        conv3 = conv_relu(conv2,[1,3,30,30],[1,1,1,1],'SAME')

    with tf.variable_scope('conv5') as scope:
        conv5 = conv_relu(conv3,[1,3,30,40],[1,1,2,1],'SAME')

    with tf.variable_scope('conv6') as scope:
        conv6 = conv_relu(conv5,[1,3,40,40],[1,1,1,1],'SAME')
    with tf.variable_scope('conv7') as scope:
        conv7 = conv_relu(conv6,[1,3,40,40],[1,1,1,1],'SAME')
    with tf.variable_scope('conv8') as scope:
        conv8 = conv_relu(conv7,[1,3,40,50],[1,1,2,1],'SAME')

    with tf.variable_scope('conv9') as scope:
        conv9 = conv_relu(conv8,[1,3,50,50],[1,1,1,1],'SAME')
    with tf.variable_scope('conv12') as scope:
        conv12 = conv_relu(conv9,[1,3,50,40],[1,1,1,1],'SAME')
    with tf.variable_scope('conv13') as scope:
        conv13 = conv_relu(conv12,[1,3,40,40],[1,1,1,1],'SAME')
    with tf.variable_scope('conv14') as scope:
        conv14 = conv_relu(conv13,[1,3,40,30],[1,1,2,1],'SAME')

    with tf.variable_scope('conv15') as scope:
        conv15 = conv_relu(conv14,[1,3,30,30],[1,1,1,1],'SAME')
    with tf.variable_scope('conv16') as scope:
        conv16 = conv_relu(conv15,[1,3,30,30],[1,1,1,1],'SAME')
    dims = 5

    avg_pool = tf.nn.avg_pool(conv16,[1,1,dims,1],[1,1,1,1],padding='VALID')
    with tf.variable_scope('scores') as scope:
        weights = _variable_with_weight_decay('weights',shape=[1,1,a,classes],
stddev=math.sqrt(2.0 / 20))
        scores = tf.nn.conv2d(avg_pool,weights,[1,1,1,1],padding='VALID')
    logits_flat = tf.reshape(scores,[-1])

    return logits_flat

def trainop(total_loss,global_step):
    lr = tf.train.exponential_decay(FLAGS.initial_lr,
```

```
                    global_step,
                    FLAGS.NUM_STEPS_PER_DECAY,
                    FLAGS.decay_factor,
                    staircase=True)
    tf.summary.scalar('learning_rate',lr)
    loss_averages_op = _add_loss_summaries(total_loss)

    with tf.control_dependencies([loss_averages_op]):
        opt = tf.train.MomentumOptimizer(lr,0.9)
        grads = opt.compute_gradients(total_loss)

    apply_gradient_op = opt.apply_gradients(grads,global_step=global_step)

    variable_averages = tf.train.ExponentialMovingAverage(
        FLAGS.MOVING_AVERAGE_DECAY,global_step)
    variables_averages_op = variable_averages.apply(tf.trainable_variables())

    with tf.control_dependencies([apply_gradient_op,variables_averages_op]):
        train_op = tf.no_op(name='train')

    return train_op
```

2）数据输入与模型训练

```
import tensorflow as tf
import numpy as np
import time
import matplotlib.pyplot as plt
from ppf_net import inference,loss,trainop

FLAGS = tf.app.flags.FLAGS

def read_decode(filename_queue):
    reader = tf.TFRecordReader()
    _,serialized_example = reader.read(filename_queue)
    features = tf.parse_single_example(serialized_example,
            features={
                'image_raw': tf.FixedLenFeature([],tf.string),
                'label': tf.FixedLenFeature([],tf.int64),
                })
```

```python
        image = tf.decode_raw(features['image_raw'],tf.uint8)

        image.set_shape([1*FLAGS.deepth])
        image = tf.reshape(image,[1,FLAGS.deepth,1])

        image = tf.cast(image,tf.float32) * (1. / 255)
        label = tf.cast(features['label'],tf.int32)
        return image,label


#数据输入
def inputs(batch_size,num_epochs):
        filenames = ['dataset_moli/12/%dtrain.tfrecords' %i for i in range(1,4)]
#输入训练数据
        for f in filenames:
            if not tf.gfile.Exists(f):
                raise ValueError('Failed to find file: ' + f)
        filename_queue = tf.train.string_input_producer(filenames,num_epochs=
num_epochs,shuffle=True)
        example_list = [read_decode(filename_queue) for _ in range(60)]

        min_after_dequeue = FLAGS.min_after_dequeue
        capacity = min_after_dequeue + 3*batch_size
        example_batch,label_batch = tf.train.shuffle_batch_join(
                example_list,batch_size=batch_size,capacity=capacity,
                min_after_dequeue=min_after_dequeue)
        return example_batch,label_batch



#模型训练
def train(reuse=None):
    with tf.Graph().as_default():
        global_step = tf.Variable(0,trainable=False)
        images,labels = inputs(FLAGS.batchsize,FLAGS.epochs)
        with tf.variable_scope('inference',reuse=reuse) as scope:
            logits = inference(images)
        loss_ = loss(logits,labels)
        train_op = trainop(loss_,global_step)  #调用网络结构与参数设置

        saver = tf.train.Saver(tf.global_variables())
```

```python
        summary_op = tf.summary.merge_all()

        init = tf.global_variables_initializer()
        sess = tf.Session()
        sess.run(init)
        sess.run(tf.local_variables_initializer())

        coord = tf.train.Coordinator()
        threads = tf.train.start_queue_runners(sess=sess,coord=coord)
        summary_writer = tf.summary.FileWriter('sl')
        try:
            step = 0
            while not coord.should_stop():
                start_time = time.time()
                _,loss_value = sess.run([train_op,loss_])

                duration = time.time() - start_time

                if step %100 == 0:

                    print('Step %d: loss = %.5f (%.3f sec)' %(step,loss_value,
                        duration))
                    summary_str = sess.run(summary_op)
                    summary_writer.add_summary(summary_str,step)
```

#保存训练模型

```python
                if step %1000 == 0:
                    saver.save(sess,'check_point_moli/12/model.ckpt',global_
                step=step)
                step += 1
        except tf.errors.OutOfRangeError:
            print('Done training for %d epochs,%d steps.' %(FLAGS.epochs,
step))
        finally:
            coord.request_stop()
        coord.join(threads)
        sess.close()

if __name__ == '__main__':
```

```
        train(None)
```

3）模型验证

```
import tensorflow as tf
import numpy as np
import time

from ppf_net import inference,loss
from train import read_decode
FLAGS = tf.app.flags.FLAGS
import matplotlib.pyplot as plt


#验证集输入
def inputs(batch_size):
    filenames = ['dataset_moli/12/%dtest.tfrecords' %i for i in range(1,4)]
#输入验证样本
    for f in filenames:
        if not tf.gfile.Exists(f):
            raise ValueError('Failed to find file: ' + f)
    filename_queue = tf.train.string_input_producer(filenames,
      shuffle=True)
    example_list = [read_decode(filename_queue) for _ in range(8)]
    min_after_dequeue = FLAGS.min_after_dequeue
    capacity = min_after_dequeue + 3*batch_size
    example_batch,label_batch = tf.train.shuffle_batch_join(
            example_list,batch_size=batch_size,capacity=capacity,
            min_after_dequeue=min_after_dequeue)
    return example_batch,label_batch


def eval():

    with tf.Graph().as_default() as g:
        images,labels = inputs(FLAGS.batchsize)

        with tf.variable_scope('inference') as scope:
            logits = inference(images)
        predictions = tf.round(tf.sigmoid(logits))
        correct_pre = tf.equal(predictions,tf.to_float(labels))
```

```python
        prob = tf.reduce_sum(tf.cast(correct_pre,tf.float32))

        variable_ave = tf.train.ExponentialMovingAverage(FLAGS.MOVING_
                AVERAGE_DECAY)
        variable_to_restore = variable_ave.variables_to_restore()
        saver = tf.train.Saver(variable_to_restore)
        sess = tf.Session()

        ckpt = tf.train.get_checkpoint_state('check_point_moli/12/')
        if ckpt and ckpt.model_checkpoint_path:
            saver.restore(sess,ckpt.model_checkpoint_path)
        else:
            print('No checkpoint file found!')

            return

        coord = tf.train.Coordinator()
        threads = tf.train.start_queue_runners(sess=sess,coord=coord)
        try:
            step = 0
            true_count = 0.0
            test_samples = 0
            while step < 500 and not coord.should_stop():
                print (step)
                ps = sess.run(prob)
                label=sess.run(labels)
                logit=sess.run(logits)
                prediction=sess.run(predictions)
                true_count += ps
                test_samples += FLAGS.batchsize
                step += 1
                precision = true_count / test_samples
            print ('precision: %.3f' %precision)
        finally:
            coord.request_stop()
        coord.join(threads)
        sess.close()
    if __name__ == '__main__':
        eval()
```

4）模型预测与输出

```
import scipy.io as sio
import numpy as np
import numpy
import tensorflow as tf
import matplotlib.pyplot as plt
import time
from ppf_net import inference

#测试集输入
dataf = 'geo39.mat' #输入地球化学数据（以'.mat'格式保存),格式为多维矩阵 x（长）
*y（宽）*n（维度）
data = sio.loadmat(dataf)
data = data['sample'] #输入多维矩阵（x*y*n）文件名
rows = 251 #输入数据长 rows(x)
cols =310 #输入数据宽 cols(y)
deepth=39 #输入数据维度(n)
for i in range(0,39): #对输入数据进行归一化（0-255）
    data[:,:,i] -= np.amin(data[:,:,i])
    data[:,:,i] = data[:,:,i] / np.amax(data[:,:,i])
    data[:,:,i]*= 255
    data[:,:,i] = np.int16(data[:,:,i])
data = np.reshape(data,(rows,cols,deepth))

labelf = 'despoit.mat' #读取样本标签,格式为二维矩阵 x（长）*y（宽）,正样本位置赋
值 1,负样本位置赋值 0
label = sio.loadmat(labelf)
label= label['despoit'] #输入多维矩阵（x*y）文件名

label = np.reshape(label,(rows,cols))

def dual_window(data,row,col,in_window,out_window):
    total = 0
    h,w,deepth = data.shape
    for i in range(-out_window,out_window+1):
        for j in range(-out_window,out_window+1):
            if -in_window<=i<=in_window and -in_window<=j<=in_window:
                continue
```

```python
            r = row + i
            c = col + j
            if r<0 or r>=h:
                continue
            if c<0 or c>=w:
                continue
            total += 1
    res = np.zeros((total,2,deepth,1))
    res1=np.zeros((total,1,deepth,1))
    index = 0
    for i in range(-out_window,out_window+1):
        for j in range(-out_window,out_window+1):
            if -in_window<=i<=in_window and -in_window<=j<=in_window:
                continue
            r = row + i
            c = col + j
            if r<0 or r>=h:
                continue
            if c<0 or c>=w:
                continue
            res[index,0,:,0] = data[row,col,:]
            res[index,1,:,0] = data[r,c,:]
            res1[index,:,:,0] =np.abs(data[r,c,:]-data[row,col,:])
            index += 1
    return res1


images = tf.placeholder(tf.float32,shape=(None,1,deepth,1))
with tf.device('/cpu:0'):
    with tf.variable_scope('inference') as scope:
        logits = tf.reshape(inference(images),[-1,1])
    prediction = tf.reduce_mean(tf.sigmoid(logits))
sess = tf.InteractiveSession()

FLAGS = tf.app.flags.FLAGS
variable_ave = tf.train.ExponentialMovingAverage(FLAGS.MOVING_AVERAGE_DECAY)
variable_to_restore = variable_ave.variables_to_restore()
saver = tf.train.Saver(variable_to_restore)
predictions = np.zeros((rows,cols))
ckpt = tf.train.get_checkpoint_state('check_point_moli/5/')
```

```
if ckpt and ckpt.model_checkpoint_path:
    saver.restore(sess,ckpt.model_checkpoint_path)
else:
    print('No checkpoint file found!')
start = time.time()
for i in range(rows):
    for j in range(cols):
        predictions[i,j] = prediction.eval(feed_dict={images: dual_window
(data,i,j,7,35)})


print (time.time()-start)


#模型输出
numpy.savetxt('window_test/predictions7_35.csv',predictions,delimiter
= ',')  #输出预测结果及路径
```

附录7　基于卷积神经网络的矿产资源潜力评价代码

本程序由 Python 语言编写，Tensorflow 版本 1.4。

```python
from keras.layers import *
from keras.optimizers import Adam
from keras.models import Sequential
from read_data import *

#数据输入
positive_data,negative_data = read_data() #输入正负样本

#样本制作
samples = np.asarray(positive_data + negative_data)
labels = []
[labels.append([1]) for _ in range(len(positive_data))]  #制作正负样本标签集
[labels.append([0]) for _ in range(len(negative_data))]
labels = np.asarray(labels)

#网络结构
base = 32  #卷积核数量
model = Sequential()
model.add(Conv2D(base,(3,3),  #卷积核尺寸
            strides=(1,1),padding='same',input_shape=(32,32,28)))
model.add(BatchNormalization())  #正则化项
model.add(Activation('relu'))  #激活函数

model.add(MaxPooling2D(pool_size=(2,2),padding='valid'))
model.add(Conv2D(base,(3,3),strides=(1,1),padding='same'))  #增加/减少卷积层数
model.add(Activation('relu'))
model.add(MaxPooling2D(pool_size=(2,2),padding='valid'))

model.add(Conv2D(base * 2,(2,2),strides=(1,1),padding='same'))
model.add(Activation('relu'))
model.add(MaxPooling2D(pool_size=(2,2),padding='valid'))

model.add(Flatten())
model.add(Dense(base * 8,  #全连接层尺寸
```

```
                  activation='relu'))   #全连接层激活函数
model.add(Dropout(0.5))  #dropout
model.add(Dense(1,activation='sigmoid'))
model.summary()


#参数设置与模型训练
Adam = Adam(lr=1e-5)   #优化器及学习率设置
model.compile(loss='binary_crossentropy',optimizer=Adam,metrics=['accuracy'])
model.fit(samples,labels,batch_size=128,  #批处理大小调整
          epochs=500,  #迭代次数
          verbose=2,validation_split=0.2  #验证集比例
          )


#模型输出
data = pd.read_csv('./data.csv',header=None)  #输入预测（地球化学）数据,*为路径
data = data.values
size = np.int(np.sqrt(len(data)))
pres = []
for n in range(len(data)):
    pre = data[int(n / size):int(n / size) + 32,n %size:n %size + 32,:]
    pres.append(pre)
x = model.predict(np.asarray(pres,np.float32),verbose=2)
result = np.reshape(x,[size,size])
np.savetxt('*/pre.csv',x,delimiter=',')  #输出预测结果,*为路径
```

附录8 基于卷积神经网络和勘查地球化学数据的地质填图代码

本程序由 Python 语言编写，Tensorflow 版本 1.2。

```python
import csv
import pandas as pd
import numpy as np
import tensorflow as tf
import glob
import os.path
import matplotlib.pyplot as plt
from keras import Sequential
from keras.layers import Conv2D,MaxPooling2D,Dropout,Flatten,Dense,
BatchNormalization
import numpy as np


#数据输入
path = r'D:\traindata'
trainpath = glob.glob(os.path.join(path,"*/*.csv"))  #训练样本路径
data = pd.DataFrame()
for f in trainpath:
    datai = pd.read_csv(f,encoding='gbk',header=None)
    data= data.append(datai)   #读取训练样本 CSV 文件
traindata= np.array(data)
traindata=traindata.reshape(-1,9,9,15)   #训练样本输入格式


train_data_path = glob.glob( 'D:/traindata/*/*.csv' )
pure_train_labels = set( [ p.split('\\')[1] for p in train_data_path ] )
#训练样本标签路径
pure_train_labels_to_index = dict( (index,name) for (name,index) in
enumerate(pure_train_labels) )
train_labels = [ p.split('\\')[1] for p in train_data_path ] #将获得的标签种
类,转为数字索引的形式（字典）
trainlabels = pd.factorize(train_labels)[0] #训练样本标签


#网络结构
model = Sequential()
model.add(Conv2D(128,(3,3),#卷积核的数量和大小
```

```python
                padding='same',#填充方式
                activation='relu',#激活函数
                input_shape=(9,9,15)))  #输入数据
model.add(BatchNormalization())  #批标准化
model.add(MaxPooling2D(pool_size=(2,2)))  #池化尺寸
model.add(Conv2D(128,(3,3),padding='same',activation='relu'))
model.add(Conv2D(256,(3,3),padding ='same',activation='relu'))
model.add(BatchNormalization())
model.add(MaxPooling2D(pool_size=(2,2)))
model.add(Flatten())
model.add(Dropout(0.25))
model.add(Dense(512,  #全连接尺寸
            activation='relu'))  #全连接层激活函数
model.add(Dense(1024,activation='relu'))
model.add(Dropout(0.25))  #丢失率
model.add(Dense(7,  #输出类别
            activation='softmax'))  #分类函数
model.summary()
model.compile(
    optimizer=tf.keras.optimizers.Adam(lr=0.0001),#优化器和学习率
    loss='sparse_categorical_crossentropy',#损失函数
    metrics=['acc']  #准确率
)
history = model.fit(
    traindata,
    trainlabels,
    epochs=400,#迭代次数
    batch_size=128,#批量大小
validation_split=0.2,#验证集比例
    verbose=2)


#准确率曲线图
plt.plot(history.epoch,history.history.get('acc'),label='Training set')
plt.plot(history.epoch,history.history.get('val_acc'),label='Validation
set')
plt.xlabel('Epoch')
plt.ylabel('Accuracy')
plt.legend()
plt.show()
```

```
#损失函数曲线图
plt.plot(history.epoch,history.history.get('loss'),label='Training set')
plt.plot(history.epoch,history.history.get('val_loss'),label='Validation
set')
plt.xlabel('Epoch')
plt.ylabel('Loss')
plt.legend()
plt.show()


#模型输出
img_size = [184,232,15]  #测试数据
win_size = 9 #窗口尺寸
Pdata = pd.read_csv('D:/data_R.csv',header=None)  #输入测试数据
Pdata = Pdata.values
Pdata = np.reshape(Pdata,img_size)
result = [ ]
count = 0
for i in range(img_size[0]-win_size): #行位置
    data_stack = []
    for j in range(img_size[1]-win_size): #列位置
        predict = Pdata[i:i + win_size,j:j + win_size,:]  #滑动窗口获取测试样本
        predict = predict.reshape(-1,9,9,15)
        count = count + 1
        data_stack.append(predict)
    data_stack = np.asarray(data_stack)
    data_stack = data_stack.reshape(-1,9,9,15)
    prediction = model.predict_classes(data_stack)  #预测
     result.append(prediction)
    print(count/38628)  #进度条
print(result)
result = np.reshape(np.asarray(result),[175,223])
plt.imshow(result)
plt.show()


#以 csv 格式保存结果
prediction = pd.DataFrame(result)
prediction.to_csv('D:/预测结果.csv')
```

附录9 基于全卷积神经网络的岩性填图代码

本程序由 Python 语言编写，Tensorflow 版本 1.4。

```
from  future  import print_function
import tensorflow as tf
import numpy as np
import TensorflowUtils as utils
import read_MITSceneParsingData as scene_parsing
import datetime
import BatchDatsetReader as dataset
from six.moves import xrange
import tensorboard
import gdal


#定义网络结构
MAX_ITERATION = int(6000); #最大迭代次数
NUM_OF_CLASSESS = 7; #分类的类别
IMAGE_SIZE = 128; #输入图像尺寸
#数据输入
image0 = gdal.Open(filename); #读入 tif 格式的遥感影像
random.shuffle(image_list[directory]); #打乱数据
process_image(image,mean_pixel):
return image - mean_pixel; #数据预处理,减去每个通道的平均值
next_batch(batch_size):
start =batch_offset;
batch_offset += batch_size;
if batch_offset > images.shape[0]:
    epochs_completed += 1;
    perm = np.arange(self.images.shape[0]) #打乱数据
    np.random.shuffle(perm)
    images =images[perm]
    annotations = annotations[perm] #开始下一个 epoch
    start = 0;
    .batch_offset = batch_size;
def get_model_data(dir_path,model_url):
    maybe_download_and_extract(dir_path,model_url);
    filename = model_url.split("/")[-1];
```

```
        filepath = os.path.join(dir_path,filename);
        if not os.path.exists(filepath):
            raise IOError("VGG Model not found!");
        data = scipy.io.loadmat(filepath);
        return data
image_net = vgg_net(weights,processed_image); #加载 VGGNet 模型
def vgg_net(weights,image):
    layers = (
        'conv1_1','relu1_1','conv1_2','relu1_2','pool1','conv2_1','relu2_1',
'conv2_2','relu2_2','pool2','conv3_1','relu3_1','conv3_2','relu3_2','conv3_3',
'relu3_3','conv3_4','relu3_4','pool3','conv4_1','relu4_1','conv4_2','relu4_2',
'conv4_3','relu4_3','conv4_4','relu4_4','pool4','conv5_1','relu5_1','conv5_2',
'relu5_2','conv5_3','relu5_3','conv5_4','relu5_4')%加载模型结构
    net = {}
    current = image
    #枚举所有的网络层并执行操作
    for i,name in enumerate(layers):
    kind = name[:4]
    if kind == 'conv':
    kernels,bias = weights[i][0][0][0][0]
    kernels = utils.get_variable(np.transpose(kernels,(1,0,2,3)),
    name=name + "_w")
    #加载网络模型的卷积核
    bias = utils.get_variable(bias.reshape(-1),name=name + "_b")
    #加载网络模型的偏置
    current = utils.conv2d_basic(current,kernels,bias)
    elif kind == 'relu': #数据的激活层
    current = tf.nn.relu(current,name=name)
    if FLAGS.debug:
        utils.add_activation_summary(current) #debug 模式下的调试
    elif kind == 'pool':
    current = utils.avg_pool_2x2(current) #对输入数据进行池化操作
    net[name] = current
    return net
    pool5 = utils.max_pool_2x2(conv_final_layer) #网络模型得到的最后特征图层
    W6 = utils.weight_variable([4,4,512,1024],name="W6")
    b6 = utils.bias_variable([1024],name="b6")
conv6 = utils.conv2d_basic(pool5,W6,b6) #对数据进行反卷积
relu6 = tf.nn.relu(conv6,name="relu6")
```

```
    relu_dropout6 = tf.nn.dropout(relu6,keep_prob=keep_prob)
```
#随机对数据的一部分进行训练
```
    conv_t3 = utils.conv2d_transpose_strided(fuse_2,W_t3,b_t3,output_shape=
    deconv_shape3,stride=8)  #对数据进行 2 倍上采样
    annotation_pred = tf.argmax(conv_t3,dimension=3,name="prediction")
        #对结果进行分类
    utils.save_image(pred[itr].astype(np.uint8),FLAGS.logs_dir,name="  "  +
str(1 + itr))
```
#输出分类结果,以 png 图片格式保存

附录 10 循环神经网络调参代码

本程序由 Python 语言编写，Tensorflow 版本 1.4。

```
import os
from keras.utils import np_utils
import numpy as np
from keras.models import Sequential,load_model
from keras.layers import Dense, Activation,BatchNormalization,Dense,GRU
import Evaluate_method
from keras import optimizers
from tensorflow import random
import pandas as pd
from sklearn.model_selection import train_test_split
from sklearn import metrics


os.environ["CUDA_VISIBLE_DEVICES"]="-1" #调用GPU
random.set_seed(6)  #固定随机参数的选择
np.random.seed(6)


all_data_formodel = pd.read_csv("*/data_train.csv") #输入训练数据,*为数据路径,
数据格式见2.2节
train_set,test_set = train_test_split(all_data_formodel,test_size=0.3,
 random_state=42)  #设置验证集比例及数量
n_x = all_data_formodel.shape[1]
train_x = np.array(train_set.iloc[:,0:n_x-1])
train_y_1D = np.array(train_set.iloc[:,-1:])
test_x = np.array(test_set.iloc[:,0:n_x-1])
test_y_1D = np.array(test_set.iloc[:,-1:])
train_y = np_utils.to_categorical(train_y_1D,2)
test_y = np_utils.to_categorical(test_y_1D,2)
train_x = np.expand_dims(train_x,axis=2)
test_x = np.expand_dims(test_x,axis=2)


def get_prob_for_val(model,test_x):
    y_prob_test = model.predict(test_x)
    y_probability_first = [prob[1] for prob in y_prob_test]
    return y_probability_first
```

```python
def get_acc_result(batch,epoch,optimizer,activation,units):
    model = Sequential()
    model.add(GRU(units,batch_input_shape=(None,4,1),unroll=True,
activation=activation))
    model.add(Dense(2))
    model.add(Activation('softmax'))
    model.compile(loss='categorical_crossentropy',optimizer=optimizer,
metrics=['accuracy'])  #以准确率作为模型评估指标
    model.fit(train_x,train_y,validation_data=(test_x,test_y),verbose=0,
batch_size=batch,epochs=epoch)
    y_probability_first = get_prob_for_val(model,test_x)
    acc = Evaluate_method.get_acc(test_y_1D,y_probability_first)
    test_auc = metrics.roc_auc_score(test_y_1D,y_probability_first)
    kappa = Evaluate_method.get_kappa(test_y_1D,y_probability_first)
    MCC = Evaluate_method.get_mcc(test_y_1D,y_probability_first)
    recall = Evaluate_method.get_recall(test_y_1D,y_probability_first)
    precision = Evaluate_method.get_precision(test_y_1D, y_probability_first)
    f1 = Evaluate_method.get_f1(test_y_1D,y_probability_first)
    return acc,test_auc,kappa,MCC,recall,precision,f1


def for_loop_with_hyperparams(batch_size,epochs,optimizers,activations,
hidden_units):
    result_all = []
    best_acc = 0
    i = 0
    for batch in batch_size:
        for epoch in epochs:
            for optimizer in optimizers:
                for activation in activations:
                    for units in hidden_units:
                        acc,test_auc,kappa,MCC,recall,precision,f1 = get_acc_result
(batch,epoch,optimizer,activation,units)
                        i += 1
                        print("each acc: {},trial_number: {}".format(acc,i))
                        if acc > best_acc:
                            best_acc = acc
                            print("Best acc: {},params(batch_size: {}; epochs: {};
optimizers: {}; activations: {}; "
```

```
                        "hidden_units: {})".format(best_acc,batch,
epoch,optimizer,activation,units))
                            best_parameters = {'batch_size': batch,'epochs':
epoch, "optimizers": optimizer,
                    "activations": activation,"hidden_units": units}
                result_one = {"trial_number": i,'batch_size': batch,
'epochs': epoch,"optimizers": optimizer,
                    "activations": activation,"hidden_units": units,
"seven indicators": [acc,test_auc, kappa, MCC, recall,precision,f1]}
                result_all.append(result_one)
    return best_acc,best_parameters,result_all


#设置参数搜索范围
best_acc,best_parameters,result_all = for_loop_with_hyperparams(batch_size
= [1,5,10,15,20],#批处理大小
        epochs = [400,600,800,1000,1200],#迭代次数
        optimizers = ['SGD','Adagrad','Adadelta','Adam'],#优化器
        activations = ['relu','tanh','sigmoid','linear'],#激活函数
        hidden_units = [40,60,80,100,120]) #隐含层单元数目
#输出最优参数组合
print(best_acc)
print(best_parameters)
for i in result_all:
    print(i)
```

附录 11　基于循环神经网络的矿产资源潜力评价代码

本程序由 Python 语言编写，Tensorflow 版本 2.6.0。

```python
from sklearn import metrics
from keras.utils import np_utils
import numpy as np
from keras.models import Sequential
from keras.layers import Activation,Dense,GRU
import Evaluate_method
import Read_data
import csv
from keras import optimizers
from tensorflow import random
import matplotlib.pyplot as plt
import pandas as pd
from sklearn.model_selection import train_test_split

os.environ["CUDA_VISIBLE_DEVICES"]="-1"  #调用 GPU

random.set_seed(6)  #固定随机参数的选择
np.random.seed(6)

#数据输入
all_data_formodel = pd.read_csv("*/data_train.csv") #输入训练数据,*为数据路径,
数据格式见 2.2 节
all_x,all_y = Read_data.read_data('*/data_test.csv') #输入测试数据,*为数据路径,
数据格式见 2.2 节

#样本制作
train_set,test_set = train_test_split(all_data_formodel,test_size=0.3,
random_state=42)
n_x = all_data_formodel.shape[1]
train_x = np.array(train_set.iloc[:,0:n_x-1])
train_y_1D = np.array(train_set.iloc[:,-1:])
test_x = np.array(test_set.iloc[:,0:n_x-1])
test_y_1D = np.array(test_set.iloc[:,-1:])
train_y = np_utils.to_categorical(train_y_1D,2)
```

```
test_y = np_utils.to_categorical(test_y_1D,2)
train_x = np.expand_dims(train_x,axis=2)
test_x = np.expand_dims(test_x,axis=2)
all_x = np.expand_dims(all_x,axis=2)


#网络结构
model = Sequential()
model.add(GRU(units=40,batch_input_shape=(None,4,1),
              unroll=True,activation="sigmoid"))  #units = 40:GRU 层隐含层单元数
目;activation = "sigmoid":GRU 层激活函数
model.add(Dense(2))
model.add(Activation('softmax'))


#参数调整
batch_size = 10  #批处理大小
epochs = 1000 #迭代次数
optimizer = optimizers.Adam()  #优化器选择


#模型训练
model.compile(loss='categorical_crossentropy',optimizer=optimizer,metrics
=['accuracy'])  #以准确率作为模型评估指标
history = model.fit(train_x,train_y,validation_data=(test_x,test_y),verbose=0,
batch_size=batch_size,epochs=epochs)


#模型输出
def get_all_prob_for_raster(all_x):
    y_prob_test = model.predict(all_x)
    y_probability_first = [prob[1] for prob in y_prob_test]
    with open("pre.csv","w",newline='',encoding='utf-8') as file:
    #输出预测结果 pre.csv
        writer = csv.writer(file,delimiter=',')
        for i in y_probability_first:
            writer.writerow([i])
get_all_prob_for_raster(all_x)


#模型验证
def get_prob_for_val(test_x):
    y_prob_test = model.predict(test_x)
    y_probability_first = [prob[1] for prob in y_prob_test]
```

```
    return y_probability_first
y_probability_first = get_prob_for_val(test_x)
acc = Evaluate_method.get_acc(test_y_1D,y_probability_first)  #AUC value
test_auc = metrics.roc_auc_score(test_y_1D,y_probability_first)
kappa = Evaluate_method.get_kappa(test_y_1D,y_probability_first)
IOA = Evaluate_method.get_IOA(test_y_1D,y_probability_first)
MCC = Evaluate_method.get_mcc(test_y_1D,y_probability_first)
recall = Evaluate_method.get_recall(test_y_1D,y_probability_first)
precision = Evaluate_method.get_precision(test_y_1D,y_probability_first)
f1 = Evaluate_method.get_f1(test_y_1D,y_probability_first)
MAPE = Evaluate_method.get_MAPE(test_y_1D,y_probability_first)
Evaluate_method.get_ROC(test_y_1D,y_probability_first,save_path='roc_416_
gru.txt')
print("ACC = " + str(acc))
print("AUC = " + str(test_auc))
print(' kappa = ' + str(kappa))
print("IOA = " + str(IOA))
print("MCC = " + str(MCC))
print(' precision = ' + str(precision))
print("recall = " + str(recall))
print("f1 = " + str(f1))


#模型训练过程图像输出
acc = history.history['accuracy']
loss = history.history['loss']
val_acc = history.history['val_accuracy']
val_loss = history.history['val_loss']
epochs = range(1,len(acc) + 1)
plt.title('Accuracy and Loss')
plt.plot(epochs,acc,'red',label='Training acc')
plt.plot(epochs,loss,'blue',label='Training loss')
plt.plot(epochs,val_acc,'red',label='Validation acc')
plt.plot(epochs,val_loss,'blue',label='Validation loss')
plt.legend()
plt.show()
```

本程序需调用数据读取和模型评估代码
```
#数据读取
import pandas as pd
```

```python
import numpy as np
from sklearn import preprocessing
def read_data(file: str):
    data = pd.read_csv(file)
    n_x = data.shape[1]
    X = np.array(data.iloc[:,0:n_x-1])
    preprocessing.scale(X)
    y = np.array(data.iloc[:,-1:])
    return X,y


if __name__ == '__main__':
  train_x,train_y_1D = read_data()


#模型评估,评估指标：ACC,AUC,kappa,IOA,MCC,Precision,Recall,F1
from sklearn import metrics
import numpy as np
from scipy.stats import ks_2samp


def mixup(x,y,alpha):
    candidates_data,candidates_label = x,y
    train_features_batch=x
    train_labels_batch=y
    shape=np.shape(train_features_batch)
    if alpha == 0:
        return train_features_batch,train_labels_batch
    if alpha > 0:
        weight = np.random.beta(alpha,alpha,shape[0])
        x_weight = weight.reshape(shape[0],1,1)
        y_weight = weight.reshape(shape[0],1)
        index = np.random.permutation(shape[0])
        x1,x2 = train_features_batch,train_features_batch[index]
        x = x1 * x_weight + x2 * (1 - x_weight)
        y1,y2 = train_labels_batch,train_labels_batch[index]
        y = y1 * y_weight + y2 * (1 - y_weight)
        return x,y


def data_aug_mixup(train_x,train_y,alpha,number):
    train_x_aug = train_x
    train_y_aug = train_y
```

```python
    for i in range(number):
        x,y = mixup(train_x,train_y,alpha)
        train_x_aug = np.concatenate((train_x_aug,x),axis=0)
        train_y_aug = np.concatenate((train_y_aug,y),axis=0)
    return train_x_aug,train_y_aug

def pre_class(y_probability):
    pred_class = []
    for i in y_probability:
        if i > 0.5:
            pred_class.append(1)
        else:
            pred_class.append(0)
    return pred_class

def get_auc(y_real,y_probability):
    return metrics.roc_auc_score(y_real,y_probability)

def get_acc(y_real,y_probability):
    pred_class = pre_class(y_probability)
    return metrics.accuracy_score(y_real,pred_class)



def get_precision(y_real,y_probability):
    pred_class = pre_class(y_probability)
    return metrics.precision_score(y_real,pred_class)

def get_recall(y_real,y_probability):
    pred_class = pre_class(y_probability)
    return metrics.recall_score(y_real,pred_class)

def get_f1(y_real,y_probability):
    pred_class = pre_class(y_probability)
    return metrics.f1_score(y_real,pred_class)

def get_mcc(y_real,y_probability):
    pred_class = pre_class(y_probability)
    return metrics.matthews_corrcoef(y_real,pred_class)
```

```python
def AIC(y_real,y_probability,k,n):
    pred_class = pre_class(y_probability)
    resid = y_real - pred_class
    SSR = sum(resid ** 2)
    AICValue = k*np.log(n) + n*np.log(float(SSR)/n)
    return AICValue


def get_RMSE(y_real,y_probability):
    pred_class = pre_class(y_probability)
    mse = metrics.mean_squared_error(y_real,pred_class)
    return mse**0.5


def get_MAE(y_real,y_probability):
    pred_class = pre_class(y_probability)
    mae = metrics.mean_absolute_error(y_real,pred_class)
    return mae


def get_kappa(y_real,y_probability):
    pred_class = pre_class(y_probability)
    kappa = metrics.cohen_kappa_score(y_real,pred_class)
    return kappa


def ks_calc_auc(y_real,y_probability_first):
    fpr,tpr,thresholds = metrics.roc_curve(y_real,y_probability_first)
    ks = max(tpr-fpr)
    return ks


def get_ROC(data_input_y,y_probability,save_path):
    fpr,tpr,thresholds = metrics.roc_curve(data_input_y,y_probability)
    fpr,tpr = fpr.tolist(),tpr.tolist()
    #print(fpr,type(fpr))
    with open(save_path,'w') as fp:
        for num in range(len(fpr)):
            fp.write(str(fpr[num]) + ',' + str(tpr[num]) + '\n')


def get_IOA(y_real,y_probability):
    y_pred = pre_class(y_probability)
    y_real_average = np.average(y_real)
    y_pred_average = np.average(y_pred)
```

```python
    top = 0.0
    down = 0.0
    for i in range(len(y_real)):
        top += (y_pred[i] - y_real[i]) ** 2
        down += (np.fabs(y_real[i] - y_real_average) + np.fabs(y_pred[i] -
y_pred_average)) ** 2

    d = 1 - top / down
    return d


def get_IOA1(y_real,y_probability):
    y_real_average = np.average(y_real)
    y_pred_average = np.average(y_probability)
    top = 0.0
    down = 0.0
    for i in range(len(y_real)):
        top += (y_probability[i] - y_real[i]) ** 2
        down += (np.fabs(y_real[i] - y_real_average) + np.fabs(y_probability[i]
- y_pred_average)) ** 2

    d = 1 - top / down
    return d


def get_MAPE(y_real,y_probability):
    result = 0.0
    number = len(y_real)
    for i in range(number):
        result += np.abs((y_real[i] - y_probability[i])/1.0)
    result = result*100/number
  return result
```

附录12 基于深度自编码网络的地球化学异常识别代码

本程序由 MATLAB 语言编写，由网络预训练及网络微调两部分组成，需调用受限玻尔兹曼机（rbm.m）和激活函数（sigFun.m）两个子函数。

1）网络预训练

```
maxepoch=200; %最大批处理大小
first_numhid=128;
numhid=128;numpen=64; numpen2=32; numopen=16; %各隐含层节点

%数据输入
[digitdata]=xlsread('*/geochemical_data.xls',2,'C2:AO594'); %输入数据,*为数据路径,格式见2.2节和5.2.3小节
digitdata=mapminmax(digitdata',0,1); %数据归一化
digitdata=digitdata';
totnum=size(digitdata,1);
fprintf(1,'Size of the training dataset= %5d \n',totnum);

%分 numbatches 个批处理执行
numbatches=totnum;
numdims  = size(digitdata,2); %维数
batchsize = 1;
batchdata = zeros(batchsize,numdims,numbatches);
for b=1:numbatches
  batchdata(:,:,b) = digitdata(b,:);
end

[numcases,numdims,numbatches]=size(batchdata);

%第一层受限玻尔兹曼机
fprintf(1,'Pretraining Layer 1 with RBM: %d-%d \n',numdims,numhid); %numhid
隐含层个数
restart=1;
rbm; %调用受限玻尔兹曼机子函数
hidrecbiases=hidbiases;aHid1 = aHid;aVis1 = aVis;err1 = errsum;
save mnistvh vishid hidrecbiases visbiases aHid1 aVis1;

%第二层受限玻尔兹曼机
```

```
fprintf(1,'\nPretraining Layer 2 with RBM: %d-%d \n',numhid,numpen);
batchdata=batchposhidprobs;
numhid=numpen;
restart=1;
rbm;  %调用受限玻尔兹曼机子函数
hidpen=vishid; penrecbiases=hidbiases; hidgenbiases=visbiases; aHid2 = aHid;
aVis2 = aVis; err2 = errsum;
save mnisthp hidpen penrecbiases hidgenbiases aHid2 aVis2;


%第三层受限玻尔兹曼机
fprintf(1,'\nPretraining Layer 3 with RBM: %d-%d \n',numpen,numpen2);
batchdata=batchposhidprobs;
numhid=numpen2;
restart=1;
rbm;  %调用受限玻尔兹曼机子函数
hidpen2=vishid; penrecbiases2=hidbiases; hidgenbiases2=visbiases; aHid3 =
aHid; aVis3 = aVis; err3 = errsum;
save mnisthp2 hidpen2 penrecbiases2 hidgenbiases2 aHid3 aVis3;


%第四层受限玻尔兹曼机
fprintf(1,'\nPretraining Layer 4 with RBM: %d-%d \n',numpen2,numopen);
batchdata=batchposhidprobs;
numhid=numopen;
restart=1;
rbm;  %调用受限玻尔兹曼机子函数
hidtop=vishid; toprecbiases=hidbiases; topgenbiases=visbiases; aHid4 = aHid;
aVis4 = aVis; err4 = errsum;
save mnistpo hidtop toprecbiases topgenbiases aHid4 aVis4;


backprop_n;
```

2）网络微调

```
load mnistvh
load mnisthp
load mnisthp2
load mnistpo


%数据输入
[digitdata]=xlsread('*/geochemical_data.xls',2,'C2:AO594');  %输入地球化学数
```

据,∗为数据路径,格式见 2.2 节

```
digitdata=mapminmax(digitdata',0,1);  %数据归一化
digitdata=digitdata';
totnum=size(digitdata,1);
fprintf(1,'Size of the training dataset= %5d \n',totnum);
```

%分 numbatches 个批次执行
```
numbatches=totnum;
numdims  =  size(digitdata,2);  %维数
batchsize = 1;
batchdata = zeros(batchsize,numdims,numbatches);
for b=1:numbatches
  batchdata(:,:,b) = digitdata(b,:);
end[numcases numdims numbatches]=size(batchdata);
N=numcases;
```

%初始化网络参数
```
w1=[vishid; hidrecbiases];
w2=[hidpen; penrecbiases];
w3=[hidpen2; penrecbiases2];
w4=[hidtop; toprecbiases];
w5=[hidtop'; topgenbiases];
w6=[hidpen2'; hidgenbiases2];
w7=[hidpen'; hidgenbiases];
w8=[vishid'; visbiases];
```

%预训练结束后参数值
```
l1=size(w1,1)-1;
l2=size(w2,1)-1;
l3=size(w3,1)-1;
l4=size(w4,1)-1;
l5=size(w5,1)-1;
l6=size(w6,1)-1;
l7=size(w7,1)-1;
l8=size(w8,1)-1;
l9=l1;
```

%计算重构误差
```
[numcases,numdims,numbatches]=size(batchdata);
```

```
N=numcases;
err=[];
train_are=[];
train_ase=[];
train_asc=[];
err_single=0;
err_single_aer=0;

  for batch = 1:numbatches
  datai = [batchdata(:,:,batch)];
  datai = [datai ones(N,1)];

  w1probs = sigFun(repmat(aHid1,numcases,1) .* ((datai * w1) + sigma*randn
    (numcases,first_numhid)),datRange);
  w1probs = [w1probs  ones(N,1)];

  w2probs = sigFun(repmat(aHid2,numcases,1) .* ((w1probs * w2) + sigma*randn
    (numcases,numpen)),datRange);
  w2probs = [w2probs  ones(N,1)];

  w3probs = sigFun(repmat(aHid3,numcases,1) .* ((w2probs * w3) + sigma*randn
    (numcases,numpen2)),datRange);
  w3probs = [w3probs  ones(N,1)];

  w4probs = repmat(aHid4,numcases,1) .* ((w3probs * w4) + sigma*randn
    (numcases,numopen));
  w4probs = [w4probs  ones(N,1)];

  w5probs = sigFun(repmat(aVis4,numcases,1) .* ((w4probs * w5) + sigma*randn
    (numcases,numpen2)),datRange);
  w5probs = [w5probs  ones(N,1)];

  w6probs = sigFun(repmat(aVis3,numcases,1) .* ((w5probs * w6) + sigma*randn
    (numcases,numpen)),datRange);
  w6probs = [w6probs  ones(N,1)];

  w7probs = sigFun(repmat(aVis2,numcases,1) .* ((w2probs * w7) + sigma*randn
    (numcases,first_numhid)),datRange);
  w7probs = [w7probs  ones(N,1)];
```

```
    dataout = sigFun(repmat(aVis1,numcases,1) .* ((w7probs * w8) + sigma*randn
      (numcases,numdims)),datRange);

    err_single_are = sqrt(sum((datai(:,1:end-1)-dataout).^2));
    train_are(batch) = err_single_are;

  end
```

%模型输出
```
  train_are = train_are';
  pre = sum(train_are)/numbatches;  %输出异常识别结果
```

%受限玻尔兹曼机子函数
```
epsilonw     = 0.3;      %权重学习率
epsilona     = 0.05;
epsilonb     = 0.05;
epsilonvb    = 0.05;     %可见单元偏置学习率
epsilonhb    = 0.05;     %隐含单元偏置学习率
weightcost   = 0.00001;
momentum     = 0.9;

datRange=[0,1];
sigma = 0.2;
[numcases,numdims,numbatches]=size(batchdata);

if restart ==1
  restart=0;
  epoch=1;
```

%初始化权重和偏置
```
  vishid     = 0.1*randn(numdims,numhid);
  hidbiases  = 0.1*randn(1,numhid);
  visbiases  = 0.1*randn(1,numdims);

  poshidprobs = zeros(numcases,numhid);
  neghidprobs = zeros(numcases,numhid);
```

```
    vishidinc  = 0.001*randn(numdims,numhid);
    hidbiasinc = 0.001*randn(1,numhid);
    visbiasinc = 0.001*randn(1,numdims);

    batchposhidprobs=zeros(numcases,numhid,numbatches);

    aVis = 0.1*ones(1,numdims);
    aHid = 0.1*ones(1,numhid);
    errsum = zeros(1,maxepoch);
end

for epoch = epoch:maxepoch
 fprintf(1,'epoch %d\r',epoch);
 err_temp=0;
 aVPos=zeros(numcases,numdims);
 aVNeg=zeros(numcases,numdims);
 aHPos=zeros(numcases,numhid);
 aHNeg=zeros(numcases,numhid);
 posprods    = zeros(numdims,numhid);
 negprods    = zeros(numdims,numhid);
 poshidact = zeros(1,numhid);
 posvisact = zeros(1,numdims);
 neghidact = zeros(1,numhid);
 negvisact = zeros(1,numdims);
 for batch = 1:numbatches

  data = batchdata(:,:,batch);

  sPhid = data * vishid + hidbiases + sigma*randn(numcases,numhid);
  poshidprobs = sigFun(aHid .* sPhid,datRange);

  batchposhidprobs(:,:,batch) = poshidprobs;
  posprods = posprods+data'* poshidprobs;
  poshidact = poshidact+poshidprobs;
  posvisact = posvisact+data;

  aVPos = aVPos+data .* data;
  aHPos = aHPos+poshidprobs .* poshidprobs;
  sNvis = poshidprobs * vishid'+ visbiases + sigma*randn(numcases,numdims);
```

```matlab
    negdata = sigFun(aVis .* sNvis,datRange);


    sNhid = negdata * vishid + hidbiases + sigma*randn(numcases,numhid);
    neghidprobs = sigFun(aHid .* sNhid,datRange);


    negprods  = negprods+negdata' * neghidprobs;
    neghidact = neghidact+neghidprobs;
    negvisact = negvisact+negdata;


    aVNeg = aVNeg+negdata .* negdata;
    aHNeg = aHNeg+neghidprobs .* neghidprobs;
    err_temp = err_temp+sum((data-negdata).^2);
 end


  vishidinc = momentum*vishidinc + epsilonw*((posprods-negprods)/
numel(digitdata) - weightcost*vishid);
  visbiasinc = momentum*visbiasinc + (epsilonvb/numel(digitdata))*
(posvisact-negvisact);
  hidbiasinc = momentum*hidbiasinc + (epsilonhb/numel(digitdata))*
(poshidact-neghidact);


  aVis = aVis + epsilona*(aVPos-aVNeg)/(numel(digitdata)*(aVis .* aVis));
  aHid = aHid + epsilonb*(aHPos-aHNeg)/(numel(digitdata)*(aHid .* aHid));
  vishid = vishid + vishidinc;
  visbiases = visbiases + visbiasinc;
  hidbiases = hidbiases + hidbiasinc;
  errsum(epoch) = err_temp;
  fprintf(1,'epoch %4i error %6.1f  \n',epoch,errsum(epoch));
end


%激活函数子函数
function [sig] = sigFun(X,datRange)
   a = ones(size(X)) * datRange(1);
   b = ones(size(X)) * (datRange(2) - datRange(1));
   c = ones(size(X)) + exp(-X);
   sig = a + (b ./ c);
end
```

附录13 基于生成对抗网络的地球化学异常识别代码

本程序由 Python 语言编写，Tensorflow 版本 1.4。本程序由网络结构与模型训练、参数设置和模型预测与输出三部分组成。

1）网络结构与模型训练

```python
from  future  import print_function
from tensorflow.python.keras.layers import Input,Reshape,Dense,Dropout,
MaxPooling2D,Conv2D,Flatten
from tensorflow.python.keras.layers import Conv2DTranspose
from tensorflow.python.keras.layers import LeakyReLU
from tensorflow.python.keras.layers import Activation
from tensorflow.python.keras.optimizers import Adam
from tensorflow.python.keras import backend as K
from tensorflow.python.keras import initializers
import tensorflow as tf
import numpy as np
from tqdm import tqdm
import cv2
import math
from keras.utils.generic_utils import Progbar
from options_820 import get_config
from sklearn.metrics import roc_curve,auc
import matplotlib.pyplot as plt


#调整每个批次的图像大小
def batch_resize(imgs,size):
    img_out = np.empty([imgs.shape[0],size[0],size[1]])
    for i in range(imgs.shape[0]):
        img_out[i] = cv2.resize(imgs[i],size,interpolation=cv2.INTER_CUBIC)
    return img_out


#定义 l1 损失和 l2 损失及交叉熵损失
def l1_loss(y_true,y_pred):
    return K.mean(K.abs(y_pred - y_true))


def l2_loss(y_true,y_pred):
    return K.mean(K.square(y_pred - y_true))
```

```python
def bce_loss(y_pred,y_true):
    return tf.reduce_mean(tf.nn.sigmoid_cross_entropy_with_logits
    (labels=y_true,logits=y_pred))


#批规范化
def batch_norm(x,name,momentum=0.9,epsilon=1e-5,is_train=True):
    return tf.contrib.layers.batch_norm(x,
                                        decay=momentum,
                                        updates_collections=None,
                                        epsilon=epsilon,
                                        scale=True,
                                        is_training=is_train,
                                        scope=name)


#生成模型基于https://arxiv.org/abs/1805.06725建立,生成器包括编码器->解码器->编码器
#定义编码器网络结构
def Encoder(inputs,opts,istrain=True,name='e1'):
    assert opts.isize %16 == 0,"isize 大小需要是 16 的倍数"
    x = Conv2D(opts.gen_filter,(4,4),#卷积核尺寸
               strides=2,#卷积核步长
               padding='same',use_bias=False)(inputs)
    x = LeakyReLU(0.2)(x)  #激活函数
    size_now = opts.isize // 2

    for t in range(opts.n_extra_layers):
        x = Conv2D(opts.gen_filter,(3,3),padding='same',use_bias=False)(x)
        x = batch_norm(x,name + "_bn1_" + str(t),is_train=istrain)
        x = LeakyReLU(0.2)(x)

    channel = opts.gen_filter

    while size_now > 4:
        x = Conv2D(channel * 2,(4,4),strides=2,padding='same',use_bias=
False)(x)
        x = batch_norm(x,name + "_bn2_" + str(channel),is_train=istrain)
        x = LeakyReLU(0.2)(x)

        channel = channel * 2
```

```
        size_now = size_now // 2

    output = Conv2D(opts.z_size,(4,4),padding='valid',use_bias=False)(x)

    return output
```

#定义解码器网络结构
```
def Decoder(inputs,opts,istrain=True):
    assert opts.isize %16 == 0,"isize 大小需要是 16 的倍数"
    cngf,tisize = opts.dis_filter // 2,4
    while tisize != opts.isize:
        cngf = cngf * 2
        tisize = tisize * 2

    x = Conv2DTranspose(cngf,(4,4),padding='valid',use_bias=False)(inputs)
    x = batch_norm(x,"bn1",is_train=istrain)
    x = Activation('relu')(x)

    size_now = 4
    while size_now < opts.isize // 2:
        x = Conv2DTranspose(cngf // 2,(4,4),strides=2,padding='same',use_bias
          =False)(x)
        x = batch_norm(x,"bn2_" + str(size_now),is_train=istrain)
        x = Activation('relu')(x)
        cngf = cngf // 2
        size_now = size_now * 2

    for t in range(opts.n_extra_layers):
        x = Conv2DTranspose(cngf,(3,3),padding='same',use_bias=False)(x)
        x = batch_norm(x,"bn3_" + str(t),is_train=istrain)
        x = Activation('relu')(x)

    x = Conv2DTranspose(opts.image_channel,(4,4),strides=2,padding=
      'same',use_bias=False)(x)
    x = Activation('tanh')(x)
    return x
```

#定义生成器网络结构
```
def generator(inputs,opts,istrain=True):
```

```python
    with tf.variable_scope('gen_'):
        z = Encoder(inputs,opts,istrain=istrain,name='e1')
        x_star = Decoder(z,opts,istrain=istrain)
        z_star = Encoder(x_star,opts,istrain=istrain,name='e2')

    return x_star,z,z_star

#定义判别器网络结构
def discriminator(inputs,opts,reuse=False,istrain=True,name='d1'):
    with tf.variable_scope('dis_',reuse=reuse):
        x = Conv2D(opts.gen_filter,(4,4),strides=2,padding='same',use_bias=False)
            (inputs)
        x = LeakyReLU(0.2)(x)
        size_now = opts.isize // 2

        for t in range(opts.n_extra_layers):
            x = Conv2D(opts.gen_filter,(3,3),padding='same',use_bias=
                False)(x)
            x = batch_norm(x,name + "_bn1_" + str(t),is_train=istrain)
            x = LeakyReLU(0.2)(x)

        channel = opts.gen_filter

        while size_now > 4:
            x = Conv2D(channel * 2,(4,4),strides=2,padding='same',use_bias=
                False)(x)
            x = batch_norm(x,name + "_bn2_" + str(channel),is_train=istrain)
            x = LeakyReLU(0.2)(x)
            channel = channel * 2
            size_now = size_now // 2
        feature = x

        x = Conv2D(1,(4,4),padding='valid',use_bias=False)(x)
        x = Flatten()(x)
        classifier = Dense(1)(x)
        #       x = tf.reshape(x,[-1])
        #       classifier = Activation('sigmoid')(x)
        return feature,classifier
```

```
#构建GANomaly网络框架
class Ganormal(object):
    def __init__(self,sess,opts):
        self.sess = sess
        self.is_train = tf.placeholder(tf.bool)
        self.imsize = opts.isize
        self.im_shape = [opts.batch_size,opts.isize,opts.isize,1]
        self.img_input = tf.placeholder(tf.float32,self.im_shape)
        self.opts = opts

        with tf.variable_scope(tf.get_variable_scope(),
reuse=tf.AUTO_REUSE):
            self.img_gen,self.latent_z,self.latent_z_gen = generator(self.img_
input,self.opts,self.is_train)
            self.feature_fake,self.label_fake = discriminator(self.img_gen,
self.opts,False,self.is_train)
            self.feature_real,self.label_real = discriminator(self.img_input,
self.opts,True,self.is_train)
        self.t_vars = tf.trainable_variables()
        self.d_vars = [var for var in self.t_vars if 'dis_' in var.name]
        self.g_vars = [var for var in self.t_vars if 'gen_' in var.name]

        self.adv_loss = l2_loss(self.feature_fake,self.feature_real)
        #    self.adv_loss = bce_loss(self.label_fake,tf.ones_like (self.
label_fake))
        self.context_loss = l1_loss(self.img_input,self.img_gen)
        self.encoder_loss = l2_loss(self.latent_z,self.latent_z_gen)
        self.generator_loss = 0.5 * self.adv_loss + 50 * self.context_loss +
1 * self.encoder_loss

        self.real_loss = bce_loss(self.label_real,tf.ones_like(self.
label_real))
        self.fake_loss = bce_loss(self.label_fake,tf.zeros_like(self.
label_fake))
        self.feature_loss = self.real_loss + self.fake_loss
        self.discriminator_loss = self.feature_loss

        update_ops = tf.get_collection(tf.GraphKeys.UPDATE_OPS)
        with tf.control_dependencies(update_ops):
```

```python
        with tf.variable_scope(tf.get_variable_scope(),reuse=None):
            self.gen_train_op = tf.train.AdamOptimizer(
                learning_rate=2e-3,beta1=0.5,beta2=0.999).minimize
(self.generator_loss,var_list=self.g_vars)
            self.dis_train_op = tf.train.AdamOptimizer(

learning_rate=2e-3,beta1=0.5,beta2=0.999).minimize(self.discriminator_loss,
var_list=self.d_vars)

        self.saver = tf.train.Saver()

        self.sess.run(tf.global_variables_initializer())

#生成器训练
    def gen_fit(self,batch_x):
        _,loss,al,cl,el = self.sess.run([self.gen_train_op,
                            self.generator_loss,
                            self.adv_loss,
                            self.context_loss,
                            self.encoder_loss],
                            {self.img_input: batch_x, self.
is_train: True,})
        return loss,al,cl,el

#判别器训练
    def dis_fit(self,batch_x):
        _,loss,dis_real_loss,dis_fake_loss = self.sess.run([self.dis_
train_op, self.discriminator_loss,
                            self.real_loss,
                            self.fake_loss],
                            {self.img_input: batch_x,self.is_
train: True,})
        return loss,dis_real_loss,dis_fake_loss

#GANomaly 模型训练
    def train(self,batch_x):
        gen_loss,al,cl,el = self.gen_fit(batch_x)
        _,dis_real_loss,dis_fake_loss = self.dis_fit(batch_x)
        #If D loss is zero,then re-initialize netD
```

```
        if dis_real_loss < 1e-5 or dis_fake_loss < 1e-5:
            init_op = tf.initialize_variables(self.d_vars)
            self.sess.run(init_op)
        return gen_loss,al,dis_real_loss,dis_fake_loss


#GANomaly 模型测试及输出
    def evaluate(self,whole_x):
        bs = self.opts.test_batch_size
        labels_out,scores_out = [],[]
        for index in range(int(whole_x.shape[0]/ bs)):


            batch_x = whole_x[index * bs: index * bs + bs]
            latent_loss,latent_gen_loss = self.sess.run([self.latent_z,
                                        self.latent_z_gen],
                                    {self.img_input: batch_x, self.is_
train: False,})
            latent_error = np.mean(abs(latent_loss - latent_gen_loss),axis=-1)
            print(latent_error)
            labels_out=np.append(scores_out,latent_error)
        return labels_out


    def save(self,dir_path):
        self.saver.save(self.sess,dir_path + "/model.ckpt")


if __name__ == "__main__":
    opts = get_config(is_train=True)
    inputs = tf.placeholder(tf.float32,[None,16,16,1])
    feature_test,dis_test = discriminator(inputs,opts,tf.AUTO_REUSE,True)
    print(feature_test,dis_test)
```

2）参数设置

```
class Options(object):
  pass


def get_config(is_train):
  opts = Options()
  if is_train:
    opts.batch_size = 128 #批数量大小
    opts.iteration = 80 #迭代次数
```

```python
        opts.lr = 1e-4  #学习率
        opts.isize = 16  #与模型结构及运行有关参数
        opts.ckpt_dir = "ckpt"
        opts.z_size = 128   #隐变量尺寸
        opts.image_channel=1  #数据通道
        opts.dis_filter=256  #判别器卷积核数
        opts.gen_filter=256  #生成器卷积核数
        opts.n_extra_layers=0  #中间层数
        opts.test_batch_size = 128  #测试数据批数量大小
    else:
        opts.batch_size = 128
        opts.im_size = [16,16]

        opts.result_dir = "result"
        opts.ckpt_dir = "ckpt"
    return opts
```

3）模型预测与输出

```python
#修改自'https://github.com/caiya55/ganomaly-tensorflow/blob/master/ main.py',
Tensorflow 版本 1.14
import sys
import os
import cv2
import numpy as np
import matplotlib.pyplot as plt
from sklearn.preprocessing import StandardScaler,MinMaxScaler,Normalizer
import tensorflow as tf
from ganomaly import Ganormal,batch_resize
from options import get_config
from tqdm import tqdm
np.set_printoptions(threshold=np.inf)


#模型输出
class Logger(object):
    def __init__(self,filename='default.log',stream=sys.stdout):
        self.terminal = stream
        self.log = open(filename,'a')


    def write(self,message):
```

```python
        self.terminal.write(message)
        self.terminal.flush()
        self.log.write(message)
        self.log.flush()

    def flush(self):
        pass


sys.stdout = Logger('*.log',sys.stdout)  #输出预测结果路径及命名
sys.stderr = Logger('*.log_file',sys.stderr)


print ('Start')


if__name__ == "__main__":
#数据输入
    x_train = np.loadtxt('*.txt') #输入训练样本数据,数据格式见2.2节和6.2.3节,因
GAN属于非监督模型,无需标签数据
    x_test = np.loadtxt('*.txt') #输入测试样本数据,数据格式见2.2节

    x_train = batch_resize(x_train,(16,16)) #调整数据尺寸
    x_test = batch_resize(x_test,(16,16))

    x_train = x_train[:,:,:,None] #添加新轴以适应模型输入
    x_test = x_test[:,:,:,None]

    sess = tf.Session()
    opts = get_config(is_train=True)
    model = Ganormal(sess,opts)
    writer = tf.summary.FileWriter('logs/',sess.graph)


#模型训练
    for i in range(opts.iteration):
        loss_train_all = []
        loss_test_all = []
        real_losses = []
        fake_losses = []
        enco_losses = []
        permutated_indexes = np.random.permutation(x_train.shape[0])
```

```
      index = 1
      for index in tqdm(range(int(x_train.shape[0] / opts.batch_size))):
          batch_indexes = permutated_indexes[index * opts.batch_size : index
* opts.batch_size + opts.batch_size] #调用参数设置
          batch_x = x_train[batch_indexes]
          loss,al,cl,el = model.train(batch_x)
          loss_train_all.append(loss)
          real_losses.append(al)
          fake_losses.append(cl)
          enco_losses.append(el)

      print("iter {:>6d} :{:.4f} a:{:.4f} c {:.4f} e{:.4f}".format(i +
1,np.mean(loss_train_all),np.mean(al),np.mean(cl),np.mean(el)))

#模型预测
      if (i+1) %80 == 0:
          labels_out= model.evaluate(x_test)

#保存模型
      if (i + 1) %4 == 0:
          model.save(opts.ckpt_dir)
```

附录 14 基于深度信念网络的地球化学异常识别代码

本程序由 MATLAB 语言编写，由网络预训练和网络微调两部分组成,需调用受限玻尔兹曼机（rbm.m）和激活函数（sigFun.m）两个子函数。两个子函数代码见附录 7。

1）网络预训练

```
maxepoch=200;  %最大批处理大小
first_numhid=128;
numhid=128; numpen=64; numpen2=32; numopen=16; %各隐含层节点个数

%数据输入
[digitdata]=xlsread('*/geochemical_data.xls',2,'C2:AO6682'); %输入地球化学数
据,*为数据路径,格式见 2.2 节和 7.2.3 小节
digitdata=mapminmax(digitdata',0,1); %数据归一化
digitdata=digitdata';
totnum=size(digitdata,1);
fprintf(1,'Size of the training dataset= %5d \n',totnum);

%分 numbatches 个批次执行
numbatches=totnum;
numdims  = size(digitdata,2); %维数
batchsize = 1;
batchdata = zeros(batchsize,numdims,numbatches);
for b=1:numbatches
  batchdata(:,:,b) = digitdata(b,:);
end

[numcases,numdims,numbatches]=size(batchdata);

%第一层受限玻尔兹曼机
fprintf(1,'Pretraining Layer 1 with RBM: %d-%d \n',numdims,numhid); %numhid
隐含层个数
restart=1;
rbm; %调用受限玻尔兹曼机子函数
hidrecbiases=hidbiases;aHid1 = aHid;aVis1 = aVis;err1 = errsum;
save mnistvh vishid hidrecbiases visbiases aHid1 aVis1;

%第二层受限玻尔兹曼机
```

```
fprintf(1,'\nPretraining Layer 2 with RBM: %d-%d \n',numhid,numpen);
batchdata=batchposhidprobs;
numhid=numpen;
restart=1;
rbm; %调用受限玻尔兹曼机子函数
hidpen=vishid; penrecbiases=hidbiases; hidgenbiases=visbiases; aHid2 = aHid;
aVis2 = aVis; err2 = errsum;
save mnisthp hidpen penrecbiases hidgenbiases aHid2 aVis2;

%第三层受限玻尔兹曼机
fprintf(1,'\nPretraining Layer 3 with RBM: %d-%d \n',numpen,numpen2);
batchdata=batchposhidprobs;
numhid=numpen2;
restart=1;
rbm; %调用受限玻尔兹曼机子函数
hidpen2=vishid; penrecbiases2=hidbiases; hidgenbiases2=visbiases; aHid3 =
aHid; aVis3 = aVis; err3 = errsum;
save mnisthp2 hidpen2 penrecbiases2 hidgenbiases2 aHid3 aVis3;

%第四层受限玻尔兹曼机
fprintf(1,'\nPretraining Layer 4 with RBM: %d-%d \n',numpen2,numopen);
batchdata=batchposhidprobs;
numhid=numopen;
restart=1;
rbm; %调用受限玻尔兹曼机子函数
hidtop=vishid; toprecbiases=hidbiases; topgenbiases=visbiases; aHid4 = aHid;
aVis4 = aVis; err4 = errsum;
save mnistpo hidtop toprecbiases topgenbiases aHid4 aVis4;


backprop_n;
```

2）网络微调

```
%数据输入
[digitdata]=xlsread('*/geochemical_data.xls',2,'C2:AO594'); %输入地球化学数
据,*为数据路径,格式见 2.2 节和 7.2.3 节
digitdata=mapminmax(digitdata',0,1); %数据归一化
digitdata=digitdata';
totnum=size(digitdata,1);
fprintf(1,'Size of the training dataset= %5d \n',totnum);
```

```
%分numbatches个批次执行
numbatches=totnum;
numdims = size(digitdata,2); %维数
batchsize = 1;
batchdata = zeros(batchsize,numdims,numbatches);
for b=1:numbatches
  batchdata(:,:,b) = digitdata(b,:);
end[numcases numdims numbatches]=size(batchdata);
N=numcases;

%权重初始化
w1=[vishid; hidrecbiases];
w2=[hidpen; penrecbiases];
w3=[hidpen2; penrecbiases2];
w4=[hidtop; toprecbiases];

%预训练结束
l1=size(w1,1)-1;
l2=size(w2,1)-1;
l3=size(w3,1)-1;
l4=size(w4,1)-1;

%模型预测
data = zeros(numbatches,numopen);

%DBN逐层特征提取
  for batch = 1:numbatches
  datai = [batchdata(:,:,batch)];
  datai = [datai ones(N,1)];
  w1probs = 1./(1 + exp(-datai*w1)); w1probs = [w1probs  ones(N,1)];
  w2probs = 1./(1 + exp(-w1probs*w2)); w2probs = [w2probs ones(N,1)];
  w3probs = 1./(1 + exp(-w2probs*w3)); w3probs = [w3probs  ones(N,1)];
  w4probs = w3probs*w4;
  data(batch,:) = w4probs;
  end

  labels = ones(numbatches,1);
```

%构建核函数为 Gaussian 的单类支持向量机

```
model = svmtrain(labels,data,'-s 2 -t 2 -n 0.5'); %调用支持向量机函数包,详见
CHANG C C,LIN C J.LIBSVM : a library for support vector machines,2001. Software
available at http://www.csie.ntu.edu.tw/~cjlin/libsvm
```

%模型输出

```
[predicted_labels,temp,predicted_prob] = svmpredict(labels,data,model);
```

%输出异常识别结果

附录15 基于深度强化学习的矿产资源潜力评价代码

本程序由 Python 语言编写,主要由智能体和环境的建立、模型训练和模型预测与输出两部分组成。所需 Python 库版本如下:gym==0.12.5;keras==2.3.1;keras-rl==0.4.2;numpy==1.16.2;pandas==0.23.4;scikit-learn==0.20.0;scipy==1.1.0;tensorboard==1.14.0;tensorflow==1.14.0。

1)智能体和环境的建立及模型训练

```python
import numpy as np
import gym
from gym import spaces
import pandas as pd
from keras.models import Sequential
from keras.layers import Dense,Flatten,
from keras.optimizers import sgd
from keras.models import Model
from sklearn.ensemble import IsolationForest
from sklearn import preprocessing
from rl.agents.dqn import DQNAgent
from rl.policy import EpsGreedyQPolicy
from rl.memory import SequentialMemory


#输入训练数据
file_path = r'E:\Baguio_py\baguio_train.csv'
data_labelxy = pd.read_csv(file_path,header=0)
#将文件中的无关变量删除,将标记为矿点的数据和其他数据区分
drop_list = ['XX','YY','deposit']
d_label = data_labelxy[data_labelxy['deposit'] == 1].drop(drop_list,axis=1)
d_unlabel = data_labelxy[data_labelxy['deposit'] != 1].drop(drop_list,axis=1)


#建立环境
class anomaly_biased_env(gym.Env):
    def __init__(self):
        self.action_space = spaces.Discrete(2)
    #行动空间只有"0"和"1":"0"代表目前状态不是异常,"1"代表目前状态是异常
        self.observation_space = dict({'d_l': d_label,'d_u': d_unlabel})
    #观测空间就是数据集,分为两类,一类是标记为矿点的,另一类是未标记的
```

```python
#定义下一次状态的获取
def next_state(self,action):
    #50%的概率选择标记的数据集和非标记的数据集
    p = np.array([0.5,0.5])
    index = np.random.choice(['d_l','d_u'],p=p.ravel())
    if index == 'd_l':
        next_state = self.observation_space['d_l'].sample()
        next_state = np.array(next_state)[0]
        self.state_index = 'd_l'
    elif index == 'd_u':
        #从未标记的数据集中随机抽取1000个
        raw_unlabel_midlayer= np.array(self.observation_space['d_u'].
sample(1000))
        #计算当前状态与1000个随机采样的距离
        distances = []
        for distance_i in range(raw_unlabel_midlayer.shape[0]):
            distance=np.sqrt(sum(np.power((self.state - raw_unlabel_midlayer
[distance_i]),2)))
            distances.append(distance)
        #当前行动为1,则选取更近的下一个状态,否则选取最远的那个
        if action == 1:
            argmin = np.argmin(distances)
            next_state = raw_unlabel_midlayer[argmin]
        elif action == 0:
            argmax = np.argmax(distances)
            next_state = raw_unlabel_midlayer[argmax]
        self.state_index = 'd_u'
    self.state = next_state
    return next_state



#获得采取行动后的奖励
def get_reward(self,action):
    #计算外部奖励,识别标记数据集中的数据奖励为1,识别非标记数据集中的数据奖励为0,其
        他奖励为-1
    if action == 1 and self.state_index == 'd_l':
        reward_e = 1
    elif action == 0 and self.state_index == 'd_u':
```

```python
                reward_e = 0
            else:
                reward_e = -1
            #初始第一步计算数据的内部奖励
            if dqn.step == 0:
                raw_iforest = IsolationForest().fit(np.array(self.observation_
space['d_u']))
                raw_iforest_score = -1.0 * raw_iforest.score_samples(
                    np.concatenate((self.observation_space['d_l'],self.observat
ion_space['d_u']),axis=0))
                self.iforest_score = preprocessing.MinMaxScaler().fit_transform(
                        raw_iforest_score.reshape(len(raw_iforest_score),1))
            #计算寻找当前状态在所有观测值中的位置,并将该位置赋予得分中
            for observe_index,observe_value in enumerate(
            (np.concatenate((self.observation_space['d_l'], self.observation_
                space['d_u']),axis=0))):
                if (observe_value == self.state).all():
                    reward_i_index = observe_index
                    break
            reward_i = self.iforest_score[reward_i_index]
            #奖励总和
            reward = reward_e + reward_i
            return reward[0]


    def step(self,action):
        #根据当前状态dqn选取行动,并且环境给予奖励和下一个状态
        if dqn.step <= 10000:
            eps_annealed = 1-0.00009*dqn.step
            dqn.policy.eps = eps_annealed
        reward = self.get_reward(action)
        next_state = self.next_state(action)
        #每个episode4000步
        if (dqn.step+1) %4000 == 0:
            done = True
            print('env has been reset')
        else:
            done = False
        info = {}
        return next_state,reward,done,info
```

```python
    def reset(self):
        #每个episode结束,从未标记的数据集中选取一个新的状态
        self.state = np.array(self.observation_space['d_u'].sample())[0]
        self.state_index = 'd_u'
        return self.state


#创建环境
env = anomaly_biased_env()
nb_actions = env.action_space.n
#建立dqn深度神经网络
model_initial = Sequential()
model_initial.add(Dense(units=100,activation='relu',
        input_shape=(1,np.array(env.observation_space['d_l']).shape[1])))
model_initial.add(Dense(units=50,activation='relu'))
model_initial.add(Dense(units=20,activation='relu',name='last_hidden_layer'))
model_initial.add(Dense(nb_actions))
model_initial.add(Flatten())
print(model_initial.summary())


#创建replay memory及policy
memory = SequentialMemory(limit=100000,window_length=1)
policy = EpsGreedyQPolicy()
#有一定的Epsilon概率随机选择动作,一定的概率选择价值最大的动作
dqn=DQNAgent(model=model_initial,nb_actions=nb_actions,
            memory=memory,nb_steps_warmup=10000,
            target_model_update=40000,policy=policy)
#编译dqn模型,用MSE作为损失函数进行梯度下降
dqn.compile(optimizer=sgd(lr=0.00025,momentum=0.95),metrics=['mse'])


#建立一个相同的神经网络,其权重全为0,并将其参数作为目标模型的权重
model_zero = Sequential()
model_zero.add(Dense(units=100,activation='relu',
                input_shape=(1,np.array(env.observation_space['d_l']).shape[1]),
                kernel_initializer='zeros',bias_initializer='zeros'))
model_zero.add(Dense(units=50,activation='relu',kernel_initializer='zeros',
bias_initializer='zeros'))
model_zero.add(Dense(units=20,activation='relu',name='last_hidden_layer',
                    kernel_initializer='zeros',bias_initializer='zeros'))
```

```python
model_zero.add(Dense(nb_actions,kernel_initializer='zeros',bias_initializ
            er='zeros'))
model_zero.add(Flatten())
dqn.target_model.set_weights(model_zero.get_weights())


#dqn 模型与环境进行训练
dqn.fit(env,nb_steps=200000,verbose=2,log_interval=1)
#保存模型
dqn.save_weights('dqn_baguio_weights.h5f',overwrite=True)
```

2）模型预测与输出

```python
import pandas as pd
from keras.models import Sequential
from keras.layers import Dense,Flatten
from rl.agents.dqn import DQNAgent
from rl.policy import GreedyQPolicy
from rl.memory import SequentialMemory
import numpy as np


#输入测试数据集
file_path = r'E:\Baguio_py\fisd.csv'
data_labelxy = pd.read_csv(file_path,header=0)
drop_list = ['XX','YY','deposit']
d_label = data_labelxy[data_labelxy['deposit'] == 1].drop(drop_list,axis=1)
d_unlabel = data_labelxy[data_labelxy['deposit'] != 1].drop(drop_list,axis=1)
all_data = data_labelxy.drop(drop_list,axis=1)
all_predicted = pd.DataFrame()


#导入训练好的模型
model = Sequential()
model.add(Dense(units=100,activation='relu',input_shape=(1,np.array(all_
data).shape[1])))
model.add(Dense(units=50,activation='relu'))
model.add(Dense(units=20,activation='relu',name='last_hidden_layer'))
model.add(Dense(2))
model.add(Flatten())
model.load_weights('dqn_baguio_weights.h5f')
print(model.summary())
memory = SequentialMemory(limit=100000,window_length=1)
```

```
policy = GreedyQPolicy()
dqn_model = DQNAgent(model=model,nb_actions=2,memory=memory,
nb_steps_warmup=200,
                    target_model_update=2000,policy=policy)

#进行Q值即异常得分计算
predicts = []
for data_index in range(np.array(all_data).shape[0]):
    predict=dqn_model.compute_q_values(
            np.array(all_data)[data_index].reshape(1,np.array(all_data).shape
[1]))[1]
    predicts.append(predict)

#保存预测结果
all_predicted['score'] = predicts
all_predicted['XX'] = data_labelxy['XX']
all_predicted['YY'] = data_labelxy['YY']
all_predicted['deposit'] = data_labelxy['deposit']
all_predicted.to_csv(r'baguio_rl_test0.csv',index=False,header=True)
```

附录16 基于图神经网络的矿产资源潜力评价代码

本程序由 Python3.9 编写，包含构建拓扑图、网络模型和主函数三部分。

1）构建拓扑图

```python
import libpysal
import pandas as pd
import pickle as pkl
import numpy as np


#构图
inputfile = "*/point.csv"  #输入带有坐标的训练数据,*为数据路径
dataframe = pd.read_csv(inputfile)
xy = dataframe[['POINT_X','POINT_Y']].values


#定义距离阈值,将与某个点距离为特定值的点连接
for distance in [1500]:
    wid = libpysal.weights.distance.DistanceBand.from_array(xy,threshold=
distance,p=2,binary=False)
    dict = wid.neighbor_offsets
    sparse = wid.sparse
    file = open("graph_"+str(distance)+".pkl",'wb')
    r = pkl.dump(dict,file)
    file.close()
    print(distance)
```

2）网络模型

```python
import torch.nn as nn
import torch.nn.functional as F
from torch_geometric.nn import GCNConv,GATConv


#GCN 网络模型
#nfeat 为输入维度,nclass 为分类数
class GCN(nn.Module):
    def __init__(self,nfeat,nclass,dropout):
        super(GCN,self).__init__()

        self.gcn1 = GCNConv(nfeat,8)
```

```python
        self.gcn2 = GCNConv(8,16)
        self.gcn3 = GCNConv(16,8)
        self.gcn4 = GCNConv(8,nclass)
        self.dropout = dropout

    def forward(self,x,adj):
        x = F.relu(self.gcn1(x,adj))
        x = F.dropout(x,self.dropout,training=self.training)
        x = F.relu(self.gcn2(x,adj))
        x = F.dropout(x,self.dropout,training=self.training)
        x = F.relu(self.gcn3(x,adj))
        x = F.dropout(x,self.dropout,training=self.training)
        x = self.gcn4(x,adj)
        return F.log_softmax(x,dim=1)
```

#GAT 网络模型
```python
class GAT(nn.Module):
    def __init__(self,nfeat,nclass,dropout):
        super(GAT,self).__init__()

        self.gat1 = GATConv(nfeat,8,heads=1,concat=False)
        self.gat2 = GATConv(8,16,heads=1,concat=False)
        self.gat3 = GATConv(16,8,heads=1,concat=False)
        self.gat4 = GATConv(8,nclass,heads=1,concat=False)
        self.dropout = dropout

    def forward(self,x,adj):
        x = F.relu(self.gat1(x,adj))
        x = F.dropout(x,self.dropout,training=self.training)
        x = F.relu(self.gat2(x,adj))
        x = F.dropout(x,self.dropout,training=self.training)
        x = F.relu(self.gat3(x,adj))
        x = F.dropout(x,self.dropout,training=self.training)
        x = self.gat4(x,adj)
        return F.log_softmax(x,dim=1)
```

#GAT*网络模型
```python
class GAT(nn.Module):
    def __init__(self,nfeat,nclass,dropout):
```

```
        super(GAT,self).__init__()

        self.gat1 = GATConv(nfeat,8,heads=6,concat=False)
        self.gat2 = GATConv(8,16,heads=6,concat=False)
        self.gat3 = GATConv(16,8,heads=1,concat=False)
        self.gat4 = GATConv(8,nclass,heads=1,concat=False)
        self.dropout = dropout

    def forward(self,x,adj):
        x = F.relu(self.gat1(x,adj))
        x = F.dropout(x,self.dropout,training=self.training)
        x = F.relu(self.gat2(x,adj))
        x = F.dropout(x,self.dropout,training=self.training)
        x = F.relu(self.gat3(x,adj))
        x = F.dropout(x,self.dropout,training=self.training)
        x = self.gat4(x,adj)
        return F.log_softmax(x,dim=1)
```

3）主函数

```
import torch
import torch.nn as nn
import torch.nn.functional as F
from torch.nn.parameter import Parameter
from torch.nn.modules.module import Module
from torch_geometric.data import Data
import torch.optim as optim
import torch_geometric.transforms as T
import argparse
import scipy.sparse as sp
import numpy as np
import pandas as pd
import math
import pickle as pkl
import networkx as nx
import time
import matplotlib.pyplot as plt
import random
from osgeo import gdal
from models import GAT,GCN    #从 2）中定义的模型中导入 GAT 和 GCN
```

· 203 ·

```
NUM_CLASSES = 2
```

```
#Training settings 创建解析器
parser = argparse.ArgumentParser()
parser.add_argument('--epochs',type=int,default=1000,
                help='Number of epochs to train.')
parser.add_argument('--lr',type=float,default=0.001,
                help='Initial learning rate.')
parser.add_argument('--weight_decay',type=float,default=5e-4,
                help='Weight decay (L2 loss on parameters).')
parser.add_argument('--dropout',type=float,default=0.5,
                help='Dropout rate (1 - keep probability).')
args = parser.parse_args()
```

```
#定义函数:将稀疏矩阵转为元胞数组
def sparse_to_tuple(sparse_mx):
    if not sp.isspmatrix_coo(sparse_mx):      #判断是否为 csr_matrix 类型
        sparse_mx = sparse_mx.tocoo()     #创建稀疏矩阵
    coords = np.vstack((sparse_mx.row,sparse_mx.col)).transpose()
    #np.vstack 按垂直方向（行顺序）堆叠数组构成一个新的数组,堆叠的数组需要具有相同的维
度,transpose()作用是转置
    values = sparse_mx.data
    shape = sparse_mx.shape
  return coords,values,shape
```

```
#定义函数:计算图的邻接矩阵
def adj_calculate(graph):
    adj = nx.adjacency_matrix(nx.from_dict_of_lists(graph))   #返回 G 的邻接矩阵
（从 graph 字典中返回一个图）
    #np.newaxis 的作用是增加一个维度.对 [:,np.newaxis] 和 [np.newaxis,:] 是在
np.newaxis 增加 1 维.这样改变维度的作用往往是将一维的数据转变成一个矩阵
    adj = adj - sp.dia_matrix((adj.diagonal()[np.newaxis,:], [0]),
    shape=adj.shape)
    adj.eliminate_zeros()    #从矩阵中删除 0
    adj = sparse_to_tuple(adj)
    adj = adj[0]    #取出 adj 中的索引为 0 的值,即元胞数组中的第一个元胞
    adj = adj.transpose()    #调换行列的索引（转置）
```

```
    adj = torch.from_numpy(adj).long()   #邻接列表
    return adj


#定义函数:计算模型的准确度
def accuracy_calculate(output,labels):
    preds = output.max(1)[1].type_as(labels)
    correct = preds.eq(labels).double()
    correct = correct.sum()
    return correct/len(labels)


#读取采样点位置,经纬度和投影坐标均可
data = pd.read_csv('*/point.csv')  #预测数据输入
#获取采样点元素数据
features = torch.from_numpy(data.drop(['FID','POINT_X','POINT_Y','au'],
axis=1).values).float()      #将 array 数组转为 tensor
labels = torch.tensor([data['au']],dtype=torch.long).squeeze()
#将 labels 转为长张量


#定义函数:随机划分训练集和验证集
def random_select(data):
    au = torch.tensor(data[data['au'] == 1].FID.values)
    noau = torch.tensor(data[data['au'] == 0].FID.values)
    rate = 0.2  #划分训练集和验证集
    S = round(rate * len(au))
    idx_test_au = torch.LongTensor(random.sample(range(au.size(0)),S))
    #随机采样
    idx_test_noau = torch.LongTensor(random.sample(range(noau.size(0)),S))
    test_au = torch.sort(idx_test_au).values     #排序
    test_noau = torch.sort(idx_test_noau).values
    test_au = torch.index_select(au,0,test_au)
    test_noau = torch.index_select(noau,0,test_noau)
    idx_test = torch.LongTensor(torch.cat([test_au,test_noau],dim=0))

    def del_tensor(input,delete):
        input_list = input.numpy().tolist()
        for i in range(len(delete)):
            input_list.remove(delete[i].item())

        return torch.Tensor(input_list)
```

```
    train_au = del_tensor(au,test_au)
    train_noau = del_tensor(noau,test_noau)
    idx_train = torch.cat([train_au,train_noau],dim=0).type(torch.long)

    return idx_train,idx_test
```

#获取随机选取的训练集和验证集的点索引
```
idx = random_select(data)
```

#获取采样点数据转换后的图
```
rf1 = open('feilvbin100_graph_150.pkl','rb')
graph = pkl.load(rf1)          #每个点的邻接节点列表
edge_index = adj_calculate(graph)      #获取邻接矩阵
```

#选择模型和优化函数
```
model = GAT(nfeat=features.shape[1],
          nclass=labels.max().item() + 1,
          dropout=args.dropout)
```
#若为 GCN 模型,则改为
```
#model = GCN(nfeat=features.shape[1],
          nclass=labels.max().item() + 1,
          dropout=args.dropout)
print(model)
optimizer = optim.Adam(model.parameters(),
                   lr=args.lr,weight_decay=args.weight_decay)
```

#定义用 gpu 还是 cpu 训练,并将数据和模型移到上面进行运算
```
device = torch.device('cpu')
model.to(device)
labels = labels.to(device)
idx_train = idx[0].to(device)
idx_test = idx[1].to(device)
features = features.to(device)
adj = edge_index.to(device)
```

#定义训练函数
```
def train(epoch):
    t = time.time()    #开始时间
```

```
model.train()
optimizer.zero_grad()    #清空过往梯度
output = model(features,adj)    #调用模型
loss_train = F.nll_loss(output[idx_train],labels[idx_train])
#计算训练集上的loss值
acc_train = accuracy_calculate(output[idx_train],labels[idx_train])
#计算训练集上的模型准确度
loss_train.backward()    #反向传播,计算当前梯度
loss_train = float(np.array(loss_train.detach().numpy()))
#将loss值转为float类型
acc_train = float(np.array(acc_train.detach().numpy()))
#将accuracy转为float类型

optimizer.step()    #根据梯度更新网络参数

loss_test = F.nll_loss(output[idx_test],labels[idx_test])
#计算验证集上的loss值
acc_test = accuracy_calculate(output[idx_test],labels[idx_test])
#计算验证集上模型准确度
loss_test = float(np.array(loss_test.detach().numpy()))
 #将loss值转为float类型
acc_test = float(np.array(acc_test.detach().numpy()))
#将accuracy转为float类型

#打印每次训练的loss和accuracy
print('Epoch: {:04d}'.format(epoch),
    'loss_train: {:.4f}'.format(loss_train),
    'acc_train: {:.4f}'.format(acc_train),
    'loss_test: {:.4f}'.format(loss_test),
    'acc_test: {:.4f}'.format(acc_test),
    'time: {:.4f}s'.format(time.time() - t))
return loss_train,acc_train,loss_test,acc_test

#模型训练开始时间
t_total = time.time()

#创建空列表保存训练集和验证集上的loss值和accuracy值
loss_list_train = []
loss_list_test = []
```

```
accuracy_train=[]
accuracy_test=[]

max_test = 0
epoch_best = 0

#定义循环,对模型参数进行保存
for epoch in range(1,args.epochs+1):
    train_result = train(epoch)
    loss_list_train.append(train_result[0])
    #train 函数的第一个返回值为训练集的 loss
    accuracy_train.append(train_result[1])
    #train 函数的第二个返回值为训练集的 accuracy

    loss_list_test.append(train_result[2])
    #train 函数的第三个返回值为验证集的 loss
    accuracy_test.append(train_result[3])
    #train 函数的第四个返回值为验证集的 accuracy

#保存在验证集上 accuracy 最高的模型作为最优模型
    if (train_result[3] >= max_test):
        max_test = train_result[3]
        model_path = "model_best.pth"
        torch.save(model,model_path)
        epoch_best = epoch

#每隔 100 代保存一个模型
    if (epoch %100 == 0):
        a = str(epoch)
        model_out_path = "model_" + a + ".pth"
        torch.save(model,model_out_path)
        print("Checkpoint saved to {}".format(model_out_path))
print("Optimization Finished!")
print("Total time elapsed: {:.4f}s".format(time.time() - t_total))
#模型训练所用的总时间


#模型预测
probability_value = []
```

```python
model = torch.load("*/model_best.pth")   #调用训练过程中的最优模型进行预测
output = model(features,adj)
probability = nn.functional.softmax(output,dim=1)
probab = probability.detach().numpy()
probability_value.append(probab[:,1])
pd.DataFrame(probability_value[0]).to_csv("*/GCN.csv",header='true',encod
ing='utf-8')
###############################################################
#若研究区为规则,则可以加以下代码直接生成tif图像
result = probability_value[0].reshape(243,171)
#将结果改为与原始栅格图像行列数相同
Baguio = gdal.Open('*/composite.tif')
projection = Baguio.GetProjection()
transform = Baguio.GetGeoTransform()   #几何信息
driver = gdal.GetDriverByName('GTiff')
dst_ds = driver.Create('*/result.tif',171,243,1,gdal.GDT_Float64)
#列行 波段数
dst_ds.SetGeoTransform(transform)
dst_ds.SetProjection(projection)
dst_ds.GetRasterBand(1).WriteArray(result)
#导出预测结果
dst_ds.FlushCache()
dst_ds = None
```

附录 17 基于深度自注意力网络的矿产资源潜力评价代码

本程序由 Python 语言编写，其中自注意力层来自 Python 包 Keras-self-attention 中的 SeqSelfAttention 对象。Python 版本为 3.9.7，TensorFlow 版本为 2.6.0。

```python
import numpy as np
from keras.models import Sequential
from keras.layers import Dense,Input
from sklearn.metrics import mean_squared_error
import csv
import os
from keras_self_attention import SeqSelfAttention
from tensorflow import random,keras
import matplotlib.pyplot as plt
import pandas as pd


#调用 GPU(-1)或 CPU(0)
os.environ["CUDA_VISIBLE_DEVICES"]="-1"
#固定随机参数的选择
random.set_seed(6)
np.random.seed(6)


#数据输入
data = pd.read_csv("all_data.csv")
sequence = np.expand_dims(data,axis=2)


#网络结构
model = Sequential()
model.add(Input(shape = (4,1)))
model.add(Dense(10,activation="relu"))
model.add(SeqSelfAttention(attention_type = 'additive'))
#units 为使用 additive 时前向神经网络的神经元数,使用 multiplicative 时该项不起作用
model.add(Dense(10,activation="relu"))
model.add(SeqSelfAttention(attention_type = 'additive'))
model.add(Dense(1))
print(model.summary())


#参数调整
```

```python
batch_size = 256 #批数量大小
epochs = 100 #迭代次数
optimizer = keras.optimizers.Adam() #优化器选择

#模型训练
model.compile(loss='mae',optimizer=optimizer)
history = model.fit(sequence,sequence,epochs=epochs,verbose=2,batch_size=
batch_size)

#模型输出
yhat = model.predict(sequence,verbose=1)

#模型训练过程出图
loss = history.history["loss"]
with open("./loss.csv","w",newline='',encoding='utf-8') as file:
    writer = csv.writer(file,delimiter=',')
    for i in loss:
        writer.writerow([i])
epochs = range(1,len(loss) + 1)
plt.title('Loss')
plt.plot(epochs,loss,'blue',label='Training loss')
plt.legend()
plt.show()

#保存loss值
error = []
for i in range(0,41553):
    error.append(np.sqrt(mean_squared_error(sequence[i,:,0],yhat[i,:,0])))
#print(error)
with open("./error.csv","w",newline='',encoding='utf-8') as file:
    writer = csv.writer(file,delimiter=',')
    for i in error:
        writer.writerow([i])
```

附录 18 地质约束变分自编码网络代码

本程序由 Python 语言编写，Tensorflow 版本 1.14。

```python
#修改自 https://github.com/SchindlerLiang/VAE-for-Anomaly
Detection/blob/master/MLP_VAE/MLP_VAE.py
import tensorflow as tf
import numpy as np
from sklearn import preprocessing
import sys
from tensorflow.python.keras import backend as K


#模型输出
np.set_printoptions(threshold = np.inf)
np.set_printoptions(suppress = True)
class Logger(object):
    def __init__(self,filename='default.log',stream=sys.stdout):
        self.terminal = stream
        self.log = open(filename,'a')

    def write(self,message):
        self.terminal.write(message)
        self.terminal.flush()
        self.log.write(message)
        self.log.flush()

    def flush(self):
        pass


sys.stdout = Logger('*.log',sys.stdout)  #输出预测结果的路径及文件名
sys.stderr = Logger('*.log_file',sys.stderr)


#定义 L1 损失,L2 损失及交叉熵
def l1_loss(y_true,y_pred):
    return K.abs(y_pred - y_true)[:,0]


def l2_loss(y_true,y_pred):
    return K.square(y_pred - y_true)[:,0]
```

```python
def bce_loss(y_pred,y_true):
    return tf.nn.sigmoid_cross_entropy_with_logits(labels=y_true,
                                        logits=y_pred)[:,0]


#定义激活函数
def lrelu(x,leak=0.2,name='lrelu'):
    return tf.maximum(x,leak * x)


#定义全连接层
def build_dense(input_vector,unit_no,activation):
    return tf.layers.dense(input_vector,unit_no,activation=activation,
                    kernel_initializer=tf.contrib.layers.xavier_
                    initializer(),
                    bias_initializer=tf.zeros_initializer())


#构建全连接变分自编码器框架
class MLP_VAE:
    def __init__(self,input_dim,lat_dim):

#参数调节
        self.input_dim = input_dim
        self.lat_dim = lat_dim
        self.input_X = tf.placeholder(tf.float32,shape=[None,self.input_dim],
name='source_x')

        self.learning_rate = 0.003 #学习率
        self.batch_size = 64 #批数量大小
        self.train_iter = 3000 #迭代次数
        self.hidden_units1 = 32 #隐含层节点数
        self.hidden_units2 = 24
        self.hidden_units3= 16
        self.hidden_units4 = 8
        self.pointer = 0

        self._build_VAE()
        self.sess = tf.Session()
        self.sess.run(tf.global_variables_initializer())
```

```python
#定义编码器
    def _encoder(self):
        with tf.variable_scope('encoder',reuse=tf.AUTO_REUSE):
            l1 = build_dense(self.input_X,self.hidden_units1,activation
                =lrelu)
            l2 = build_dense(l1,self.hidden_units2,activation=lrelu)
            l3 = build_dense(l2,self.hidden_units3,activation=lrelu)
            l4 = build_dense(l3,self.hidden_units4,activation=lrelu)
            mu = tf.layers.dense(l4,self.lat_dim)
            sigma = tf.layers.dense(l4,self.lat_dim,activation=
                    tf.nn.softplus)
            sole_z = mu + sigma * tf.random_normal(tf.shape(mu),0,1,dtype
                    =tf.float32)
        return mu,sigma,sole_z


#定义解码器
    def _decoder(self,z):
        with tf.variable_scope('decoder',reuse=tf.AUTO_REUSE):
            l1 = build_dense(z,self.hidden_units4,activation=lrelu)
            l2 = build_dense(l1,self.hidden_units3,activation=lrelu)
            l3 = build_dense(l2,self.hidden_units2,activation=lrelu)
            l4 = build_dense(l3,self.hidden_units1,activation=lrelu)
            recons_X = tf.layers.dense(l4,self.input_dim)
        return recons_X


#建立地质约束变分自编码器
    def _build_VAE(self):
        self.mu_z,self.sigma_z,sole_z = self._encoder()
        self.recons_X = self._decoder(sole_z)
#导入地质约束文件
        self.n= np.load('*.npy')
        w=self._fecth_data(self.n)
        self.h = tf.convert_to_tensor(w,dtype=tf.float32)
        with tf.variable_scope('loss'):
#常规变分自编码器损失
            KL_divergence = 0.5 * tf.reduce_sum(
                tf.square(self.mu_z) + tf.square(self.sigma_z) - tf.log(1e-8 +
tf.square(self.sigma_z)) - 1,1)
            mse_loss = tf.reduce_sum(tf.square(self.input_X - self.recons_X),1)
```

#地质约束变分自编码器损失

```
        smse_loss=mse_loss
        self.label2=smse_loss[:,np.newaxis]
        geo_loss =l2_loss(self.h,self.label2)
```

#地质约束变分自编码器总体损失

```
        self.mes_loss=mse_loss
        self.geo_loss=1*geo_loss
        self.loss =tf.reduce_mean(KL_divergence+self.mes_loss+
                self.geo_loss)
        self.test_loss=tf.reduce_mean(self.mes_loss)
    with tf.variable_scope('train'):
        self.train_op = tf.train.AdamOptimizer(self.learning_rate).
        minimize(self.loss)
```

#按批次提取数据

```
    def _fecth_data(self,input_data):
        if (self.pointer + 1) * self.batch_size >= input_data.shape[0]:
            return_data = input_data[(self.pointer - 1) * self.batch_size:
(self.pointer) * self.batch_size,:]
            self.pointer = 0
        else:
            return_data = input_data[self.pointer * self.batch_size:
(self.pointer + 1) * self.batch_size,:]
            self.pointer = self.pointer + 1

        return return_data
```

#模型训练

```
    def train(self,train_X):
        for index in range(self.train_iter):
            this_X = self._fecth_data(train_X)
            self.sess.run([self.train_op],feed_dict={
                self.input_X: this_X
            })

        self.judge(train_X)

    def judge(self,input_data):
        for index in range(input_data.shape[0]):
            single_X = input_data[index].reshape(1,-1)
```

```
            this_loss = self.sess.run(self.test_loss,feed_dict={
                self.input_X: single_X})
            print(this_loss)
```

#模型预测
```
def mlp_vae_predict(train):
    mlp_vae = MLP_VAE(4,6)
    mlp_vae.train(train)
```

#数据输入
```
if __name__ == '__main__':
    train = np.loadtxt('*.csv',delimiter=',')  #输入测试数据,格式见2.2节,因VAE
```
属于非监督模型,无需标签数据
```
    min_max_scaler = preprocessing.MinMaxScaler()
    train = min_max_scaler.fit_transform(train)
    mlp_vae_predict(train)
```